Carolyn **McCulley**
e Nora **Shank**

mulher, cristã e bem-sucedida:
redefinindo
biblicamente o
trabalho dentro
e fora do lar

AUTORA DO LIVRO **FEMINILIDADE RADICAL**

M478m McCulley, Carolyn, 1963-
　　　　Mulher, cristã e bem-sucedida : redefinindo biblicamente o trabalho dentro e fora do lar / Carolyn McCulley ; e Nora Shank ; [tradução: Elizabeth Gomes]. – São José dos Campos, SP : Fiel, 2018.
　　　　306 p.
　　　　Inclui referências bibliográficas.
　　　　Tradução de: The measure of success : uncovering the biblical perspective on women, work, & the home.
　　　　ISBN 9788581324531
　　　　1. Mulheres cristãs – Vida religiosa. 2. Mulheres cristãs – Emprego. 3. Sucesso – Ensino bíblico. 4. Sucesso – Aspectos religiosos – Cristianismo. 5. Donas de casa – Vida religiosa. I. Shank, Nora. II. Título.
　　　　　　　　　　　　　　　　　　　　　　　　CDD: 248.843

Catalogação na publicação: Mariana C. de Melo Pedrosa – CRB07/6477

Mulher, cristã e bem-sucedida: redefinindo biblicamente o trabalho dentro e fora do lar

Traduzido do original em inglês
The Measure of Success: Uncovering the biblical perspective on women, work, and the home
Copyright © 2014 by Carolyn McCulley

∎

Publicado por B&H Publishing Group,
One LifeWay Plaza
Nashville, TN. 37234, USA

∎

Copyright © 2017 Editora Fiel
Primeira edição em português: 2018

Todos os direitos em língua portuguesa reservados por Editora Fiel da Missão Evangélica Literária
Proibida a reprodução deste livro por quaisquer meios, sem a permissão escrita dos editores, salvo em breves citações, com indicação da fonte.

∎

Diretor: Tiago J. Santos Filho
Editor-chefe: Vinicius Musselman Pimentel
Editora: Renata do Espírito Santo T. Cavalcanti
Coordenação Gráfica: Gisele Lemes
Tradução: Elizabeth Gomes
Revisão: Shirley Lima – Papiro
　　　　　Soluções Textuais
Diagramação: Larissa Nunes Ferreira
Capa: Larissa Nunes Ferreira
ISBN: 978-85-8132-453-1
ISBN e-Book: 978-85-8132-452-4

Caixa Postal, 1601
CEP 12230-971
São José dos Campos-SP
PABX.: (12) 3919-9999
www.editorafiel.com.br

sumário

PREFÁCIO | 07

- **A HISTÓRIA DO TRABALHO** • | 13
- CAPÍTULO 1: NOSSA HISTÓRIA | 15
- CAPÍTULO 2: A HISTÓRIA MODERNA | 39
- CAPÍTULO 3: A HISTÓRIA SUBJACENTE | 65
- CAPÍTULO 4: A HISTÓRIA ANTIGA | 95

- **A TEOLOGIA DO TRABALHO** • | 117
- CAPÍTULO 5: PROPÓSITO | 121
- CAPÍTULO 6: DESCANSO | 135
- CAPÍTULO 7: IDENTIDADE | 151
- CAPÍTULO 8: AMBIÇÃO | 173

- **O CICLO DE VIDA DO TRABALHO** • | 191
- CAPÍTULO 9: CRESCENDO | 195
- CAPÍTULO 10: ENTRANDO NA VIDA ADULTA | 219
- CAPÍTULO 11: O EQUILÍBRIO | 245
- CAPÍTULO 12: TREINANDO PARA O SUCESSO | 271
- CAPÍTULO 13: O NINHO ABERTO | 295

AGRADECIMENTOS | 317

> Benigno e misericordioso é o Senhor, tardio em irar-se e de grande clemência.
> O Senhor é bom para todos, e as suas ternas misericórdias permeiam todas as suas obras.
>
> Sl 145.8-9

prefácio

É provável que você tenha pego este livro porque, como mulher, tem perguntas sobre trabalho, sucesso e vida familiar. Venho pensando nesses temas há décadas. Cresci em meio ao movimento de libertação feminina dos anos 1960 e 1970; na faculdade, estudei jornalismo e me especializei em estudos feministas sobre mulheres. Então, aos 30 anos, tornei-me uma cristã que crê na Bíblia — o que fez com que todas as minhas suposições anteriores sobre o que significava ser mulher fossem abaladas. Durante toda a vida, trabalhei para me sustentar como mulher solteira. Tenho uma visão elevada acerca de casamento e maternidade, embora nunca tenha tido filhos. Viajei bastante para outros países em que a maior parte de minhas ideias e premissas americanas foi desafiada. Em outras palavras, dei a volta completa quando o assunto é ser mulher e o que "devemos" fazer e ser como mulheres.

De certa forma, este livro é o terceiro de uma trilogia. Em meu primeiro livro, examinei o conceito de ser uma mulher piedosa e prolífica que não é casada.[1] Eu o escrevi quando percebi que carregava uma ideia tola de que a feminilidade "verdadeira" estava, de algum modo, relacionada àquelas mulheres que se casavam e tinham filhos. Esse conceito colidia com a verdade sobre a mulher em Provérbios 31 — uma passagem da Bíblia que descreve uma mulher incrivelmente competente, financeiramente sagaz, generosa, hospitaleira e amorosa, que é prolífica e "faz bem e não mal, todos os dias da sua vida" (Provérbios 31.12). Esse entendimento revelou que eu estava extraindo mais identidade de um adjetivo ("solteira") do que de um substantivo ("mulher"), o que não é a ênfase vista na Bíblia. Ao estudar o que a Escritura dizia sobre ser uma mulher criada à imagem de Deus, libertei-me do falso conceito de que permanecer solteira seria algo menos feminino.

Esse projeto levou a uma contemplação maior acerca do significado de feminilidade e à publicação de meu segundo livro, que era realmente a obra que eu desejara ler como

---

[1] Carolyn McCulley, *Did I Kiss Marriage Goodbye? Trusting God with a Hope Deferred* (Wheaton, IL: Crossway Books, 2004).

PREFÁCIO

nova crente.[2] Eu queria que alguém pudesse me explicar a história do feminismo — os lados bom, mau e feio — e compará-la ao que eu estava lendo na Bíblia. Como nossa cultura acabou tendo tantas definições e avaliações contrastantes sobre feminilidade?

Ao fazer pesquisas para esse meu segundo livro, fiquei assustada ao descobrir que, basicamente, eu não sabia nada sobre a história do lar. Eu não tinha a mínima ideia de que meu entendimento provinha unicamente da experiência norte-americana do século XX, em que o lar era visto como o lugar no qual a gente coloca as tralhas e exibe bom gosto. Não tinha a mínima ideia de quão profundamente o século XIX havia influenciado o papel, o lugar e as atividades do lar. Pela maior parte da história, o lar foi o lugar de produtividade, bem como a unidade empresarial da economia local. No século XX, tornou-se o centro de consumo. A esfera pública — o mercado — tornou-se uma esfera valorizada. A esfera privada — lugar de investimento intangível — ficou desvalorizada. No entanto, todas as atividades da esfera privada eram as que aguardavam recompensa eterna: o cultivo de casamentos amorosos, a educação e o discipulado da próxima geração, o cuidado dispensado aos parentes idosos ou portadores de deficiências e a missão da Igreja em alcançar vizinhos e ser hospitaleira.

---

2 Carolyn McCulley, *Feminilidade Radical: Fé Feminina em um Mundo Feminista*. São José dos Campos: Editora Fiel, 2017.

mulher, cristã e bem-sucedida

O que dizer dessa esfera pública? Tendo escrito sobre feminilidade, casamento e maternidade segundo a visão bíblica, bem como sobre a esfera privada, restou mais uma área a ser considerada. De forma irônica, logo após a publicação de meu segundo livro, mergulhei de cabeça no mundo das pequenas empresas, estabelecendo uma companhia de filmes em formato de documentário, em meio à Grande Recessão. Foi uma lição completamente nova confiar em Deus para dar provisão e ter sabedoria na gestão de outras pessoas. Enquanto eu me ocupava tentando manter a empresa de pé, meu pastor sugeriu que eu considerasse escrever mais um livro, dessa vez abordando o assunto "mulheres e trabalho". Sob o peso de excessivas tarefas, ri dessa ideia quando ele a verbalizou. Mas ela fincou raízes e começou a se desenvolver.

Ao mesmo tempo, eu vinha recebendo e-mails e telefonemas de uma amiga cuja trajetória de vida era muito diferente da minha, mas que tinha algumas das mesmas perguntas sobre homens e mulheres, bem como sobre a relação de ambos com a produtividade. Eu conhecia Nora Shank havia alguns anos, quando ela era solteira, mas agora ela era uma mulher de 30 anos, casada e mãe de dois filhos, trabalhando em tempo parcial em sua própria empresa e vivendo no extremo oposto do país. Nora mandava para mim tudo que ela encontrava no noticiário ou nas redes da blogosfera sobre trabalho. Minha caixa de entrada crescia cada vez mais, e nossas conversas se tornaram mais frequentes, a ponto de

PREFÁCIO

eu perceber que nossas experiências distintas seriam uma forte razão para atuarmos em parceria em um trabalho. Começamos, então, a fazer *brainstorming* para este livro.

Não creio que cause surpresa o fato de que muito mais versículos de Provérbios 31 sejam a respeito de produtividade e gerenciamento financeiro do que de relacionamentos. Na narrativa bíblica, o trabalho é o colaborador do amor; são tarefas realizadas em parceria com um Deus gracioso, que usa nosso trabalho para abençoar nosso próximo. Em resposta às críticas de que ele curou um homem enfermo no sábado, Jesus disse: "Meu Pai trabalha até agora e eu trabalho também" (João 5.17). Seu trabalho era glorificar o Pai e ajudar o próximo. Nosso trabalho é o mesmo. É essa a definição de produtividade.

As mulheres devem trabalhar? É claro que sim! As mulheres devem trabalhar — e trabalhar muito todo dia. Como mulheres seguidoras de Cristo, a Bíblia nos chama para trabalhar em prol da glória de Deus. Mas o *local* em que trabalhamos não define nem mede o nosso sucesso.

Este é um livro sobre mulheres no mercado de trabalho? Sim. É um livro sobre as mulheres que trabalham no lar? Novamente, sim. O que se segue é o nosso exame de como isso parece para diferentes mulheres em estágios distintos da vida. Cremos que exista muita sabedoria a ser garimpada na Bíblia que nos ajuda a refletir sobre amor e trabalho em todo o arco da vida de uma mulher. Assim, dividimos este livro em três seções: a história do trabalho, a teologia do trabalho e o ciclo de vida do trabalho. A história do trabalho são as histórias bíblicas e culturais que forjaram o modo como trabalhamos hoje. A teologia do trabalho é um exame de quatro conceitos fundamentais nessa área. O ciclo de vida do trabalho é o espaço para o qual levamos tudo o que aprendemos nas seções anteriores para explorar como aplicar princípios de sabedoria às diversas fases e aos distintos estágios de vida de uma mulher.

Finalmente, agradeço antecipadamente por sua paciência em relação às ilustrações limitadas deste volume — não seria possível abordar todo o cenário ou situação, mas esperamos que haja em comum coisas suficientes neste livro para inspirá-la em sua situação específica. Pedimos desculpas também pela desajeitada terminologia de "mães que ficam em casa"— sabemos quanto as mães que "apenas ficam em casa" trabalham, mas não temos uma expressão melhor a oferecer. Sendo muitas de nossas histórias compostas por assunto sensível, alteramos todos os nomes e algumas marcas de identificação neste livro. Mas os fatos são verdadeiros e podem ser verificados por quem os compartilhou graciosamente conosco.

Não importa onde você esteja trabalhando atualmente, esperamos que encontre encorajamento nas páginas que se seguem, a fim de que você seja uma mulher criativa, prolífica e laboriosa para a glória de Deus.

{parte 01}
a história do trabalho

01 {nossa história

Quando minha mãe faleceu, depois de um acidente de carro, minhas irmãs e eu tivemos três dias para organizar seu funeral.* Planejar um funeral é como planejar um casamento sob o efeito de energéticos — organizamos a cerimônia e coordenamos todos os detalhes da recepção, porém em pouquíssimo tempo. E ainda tínhamos de lidar com o luto.

Enquanto estávamos ali sentadas, em roupas de dormir, organizando, desesperadamente, o que iríamos fazer, coube-me a difícil tarefa de redigir a nota de falecimento de minha mãe para o jornal. Eu me oferecera para fazer isso

---

* Nos Estados Unidos, o sepultamento é planejado por familiares e amigos; em geral, acontece alguns dias após o falecimento, seguindo-se uma recepção com comidas e aperitivos servidos aos convidados enlutados. (N. da T.)

porque queria honrar sua vida. Mas escrever seu obituário representava todos os desafios com os quais eu tinha lutado enquanto escrevia este livro. As últimas palavras sobre a vida de minha mãe deveriam ser sobre sua profissão, embora eu soubesse que isso era apenas uma parte de sua identidade. Quando sua vida foi processada pelo formato padrão dos obituários, exibia apenas os rótulos de "dona de casa e voluntária".

Pelo menos não era "doméstica". Ela sempre fazia questão de afirmar: "Não sou casada com uma *casa*".

Minha mãe me criou em meio a uma grande agitação no que diz respeito à identidade das mulheres, durante os anos do movimento de libertação feminina. Embora, por muitos anos, mamãe tenha trabalhado em empregos na televisão e em jornalismo, após se casar com meu pai, ela escolheu trabalhar em casa, criar suas três filhas e construir um lar para nossa família. Durante os anos 1960 e 1970, as escolhas que ela fez sobre produtividade eram questionadas por uma cultura mais ampla, o que a levou, algumas vezes, a se sentir irrelevante.

Nunca me casei nem tive filhos, e sempre trabalhei. Quando as pessoas descobrem que sou escritora e produtora de filmes, quase sempre recebo uma resposta entusiasmada, no sentido de quão interessante deve ser meu trabalho. Às vezes, sinto que o que faço é visto como muito mais interessante do que o trabalho que minha mãe fazia. E, por mais que eu goste do que faço profissionalmente, sem-

NOSSA HISTÓRIA

pre quis ter um marido e filhos. Não é uma decisão tipo "ou isso ou aquilo", embora, eventualmente, pareça dessa forma — especialmente quando pessoas que nunca encontrei pessoalmente presumem que escolhi, intencionalmente, ser uma "mulher de carreira profissional".

Minhas duas irmãs eram profissionais que continuaram a trabalhar depois do casamento. Mas não muitos anos depois, cada uma já com três filhos e sogros com doenças sérias, elas escolheram deixar o trabalho por vários anos, a fim de cuidar de suas famílias. Seus dias são repletos de uma lista infindável de tarefas que consistem em dispensar cuidados a múltiplas gerações.

Somos uma família com muitos exemplos de produtividade feminina. Mas, por toda a minha vida, tenho ouvido apenas o que as mulheres "deveriam" fazer. Sempre há uma nova controvérsia em erupção. Enquanto eu trabalhava neste livro, uma especialista em tecnologia rodeava o circuito de palestras, falando às mulheres sobre como devem ser mais ambiciosas. Outra executiva de tecnologia construiu um berçário ao lado de seu escritório e voltou ao trabalho após duas semanas apenas de licença-maternidade. Em seguida, desmanchou a "fraternidade", tirando todos os privilégios de suas funcionárias trabalharem em casa. Uma terceira mulher, professora universitária bem-sucedida, publicou um artigo descartando veementemente a ideia de que as mulheres possam ter tudo. A cada vez, as facções provenientes das sugestões relativas a essas ideias tornaram-se mais insustentáveis.

As briguinhas individuais na "Guerra das Mães" sempre causaram danos colaterais — ferindo mulheres exaustas que tentam fazer o melhor que podem com os recursos, as oportunidades e as responsabilidades que têm.

Precisamos de perspectiva. Há uma boa lição a ser aprendida com uma ideia que surgiu uns cem anos antes da primeira rodada na "Guerra das Mães". Trata-se do conceito de terra plana.

Ensinaram à maioria de nós que nossos antepassados acreditavam que a terra fosse plana porque a Igreja antiga acreditava que isso fosse verdade. Contudo, a ideia de um mundo esférico já era aceita até mesmo no século IV a.C.[1] Qualquer um que observasse um navio navegando pelo horizonte para, então, retornar jamais poderia acreditar que a terra fosse plana.

Então, de onde surgiu a falsa ideia de que a Igreja acreditava que o mundo era plano? Essa foi a história revisionista inventada em fins do século XIX. Dois livros foram publicados por volta de 1870 com esse "fato", a fim de estigmatizar a fé cristã e dar apoio ao pensamento "científico" na batalha sobre a evolução. Após a sua publicação, praticamente todos os livros-texto e os professores de ensino médio nos Estados Unidos apresentavam esse "fato", ainda

---

1 Christine Garwood, *Flat Earth: The History of an Infamous Idea* (New York: Thomas Dunne Books, St. Martin's Press, 2007), 20.

NOSSA HISTÓRIA

que o estudo diligente de materiais históricos e o bom senso dissessem outra coisa.[2]

A verdade foi suprimida para atender a uma agenda ideológica.

Na condição de mulheres do século XXI, nós também recebemos numerosos "fatos de terra plana" sobre nossas vidas que aceitamos sem questionamento — de pessoas que defendiam todos os lados da questão. Pode ser difícil discerni-los, exceto por um fator: nós podemos reconhecer um "fato de terra plana" pela caixa de "um tamanho que cabe em todo mundo" que o abriga. E a dor proveniente da tentativa de se espremer para se encaixar em um modelo tamanho único que outra pessoa determina para você pode ser terrível. Quando você quase chega a se encaixar, alguém aparece e dá um chute na caixa, derrubando tudo.

> *Você é uma mãe que trabalha?! Com certeza você vai acabar negligenciando seus filhos!* TAPA NA CARA!
> *Ah, puxa! Você é uma daquelas mães que praticam ensino domiciliar. Todas essas crianças são suas?* BUMBA!
> *Então, não vai voltar a trabalhar depois de o bebê nascer? Sim... Bem, boa sorte com isso.* PUXA!
> *Você não foi promovida porque queria poder jantar em casa com a família? Como isso funciona para você?* BUM!
> *É, as mulheres solteiras profissionalmente bem-*

---

2 Stephen Jay Gould, "The Late Birth of a Flat Earth", *Dinosaur in a Haystack: Reflections in Natural History* (New York: Crown, 1996), 38–52.

mulher, cristã e bem-sucedida

-sucedidas... assustam os homens. MISERICÓRDIA!
Ah... então você é uma daquelas mães que ficam em casa com os filhos? Pois é. Deve ser legal. AI, AI.

Relaxe. Este livro não é mais uma caixa de tamanho único.

Na verdade, tenho paixão por rejeitar "fatos" baseados no pensamento do tipo "tamanho único". Especialmente quando o conselho é aplicado de forma ampla a todas as mulheres durante todo o tempo, não obstante seu treinamento, as circunstâncias, a localização, os dons ou suas histórias pessoais.

O único jeito de se livrar desse ciclo infindável de desentendimento é ver como chegamos até aqui — *para, então, deixarmos de medir umas às outras pelos padrões humanos.*

Sou apaixonada por rejeitar "fatos" que não se alinhem com a graça, a misericórdia e a liberdade que nos são oferecidas no evangelho de Jesus Cristo — especialmente no caso daqueles que nunca ouviram essa boa-nova! Foi por essa razão que eu quis escrever este livro: para ajudar mulheres em todos os estágios da vida a refletir com clareza sobre os dons e as oportunidades concedidos por Deus e sobre como investir nessas situações individuais e específicas à luz da eternidade.

Essa é uma questão profundamente relevante para a maioria das mulheres. Fui lembrada disso quando uma igreja grande me pediu para falar, em um retiro feminino, sobre "mulheres e trabalho". Outras palestrantes falaram sobre mulheres no lar e mulheres na Igreja. Parecia um evento que oferecia alguma coisa para todas. Mas, depois da minha palestra, fiquei ouvindo sobre quantas mulheres não apareceram no *retiro inteiro* porque temiam que a minha única sessão sobre "mulheres e trabalho" fosse repreendê-las pelas escolhas que haviam feito. Aquelas que vieram falar comigo depois disseram que queriam que suas amigas tivessem ouvido minha fala sobre o quadro mais amplo da produtividade feminina: "O que você disse não era sobre a mulher que trabalha fora ou sobre a mãe que fica em casa — era direcionado a todas as mulheres".

Não foi a primeira vez que deparei com essa confusão medonha. Anos atrás, quando comecei a dar palestras sobre questões relacionadas a mulheres cristãs, sempre honrei os papéis de esposa e mãe. Eu era solteira, com emprego em tempo integral, fato que fazia parte de minha apresentação como palestrante. No entanto, sempre podia contar com alguém que levantaria a mão para perguntar: "Será que está certo as mulheres trabalharem fora de casa?".

Gritamos umas para as outras por cima dos muros criados por numerosos "fatos de terra plana", por não conhecermos a história do trabalho das mulheres. Aceitamos as caixas de tamanho único quando não precisava ser assim. O que realmente precisamos conhecer é o propósito do trabalho ou as múltiplas facetas da produtividade que tornam o trabalho das mulheres diferente do trabalho dos homens. Essa não é uma ideia nova. O que realmente necessitamos é de princípios de sabedoria atemporal que venham diretamente das Escrituras.

Como, Então, Seremos Bem-Sucedidas?

Se você abriu este livro esperando que alguém lhe desse uma fórmula para a vida bem-sucedida, não vai encontrá-la aqui. O que encontrará é uma visão geral acerca do trabalho das mulheres ao longo de muitas eras, um exame do que significa ser criada como mulher à imagem de Deus, prolífica no lar e no trabalho, com algumas ideias de como aplicar esses conceitos nos diversos estágios da vida. Mas nada de fórmulas para o sucesso profissional ou pessoal. Isso porque a verdadeira medida do sucesso não se baseia em nenhum padrão humano.

Nossa cultura cria a identidade da produtividade e recompensa aquilo que percebe como mais importante ou com maior status. Jesus não cometia esse erro. Ele modelou para nós a postura de servo, a fim de que pudéssemos compreender a hierarquia de seu Reino. Como ele disse a seus discípulos:

> Sabeis que os que são considerados governadores dos povos têm-nos sob seu domínio, e sobre eles os seus maiorais exercem autoridade. Mas entre vós não é assim; pelo contrário, quem quiser tornar-se grande entre vós, será esse o que

NOSSA HISTÓRIA

vos sirva; e quem quiser ser o primeiro entre vós será servo de todos. Pois o próprio Filho do Homem não veio para ser servido, mas para servir e dar a sua vida em resgate por muitos (Marcos 10.42-45).

Nossa cultura acredita que somos pessoas criadas por si mesmas e que podemos alcançar qualquer coisa que quisermos. Mas a Bíblia enfatiza, repetidas vezes, que somos meros receptores da graça. Tudo que temos é presente de Deus. Em 1 Coríntios 4.7, temos: "Pois quem é que te faz sobressair? E que tens tu que não tenhas recebido? E, se o recebeste, por que te vanglorias, como se o não tiveras recebido?".

Como, então, medir o sucesso? Devemos pensar como receptores que um dia prestarão contas de como gerenciamos aquilo que nos foi dado. Somos guardiões de tudo que temos recebido, inclusive de nossos relacionamentos. É Deus quem nos dá o cônjuge, as amizades, os filhos, o tempo, os talentos, os interesses, as oportunidades e as tarefas que preenchem nossos dias e anos.

Podemos ser esposas ou mães, mas, por mais importantes que sejam essas condições, são papéis que terminam nesta vida. Continuamos por toda a eternidade como filhas de Deus e irmãs daqueles que foram resgatados por Cristo.

Podemos trabalhar em profissões altamente consideradas ou nem mesmo receber pagamento por nosso labor diário. Esses papéis também não são a nossa identidade; são apenas oportunidades que devem ser investidas para a glória de Deus. Deus quer que as coisas que ele nos dá em termos de relacionamentos e oportunidades sejam multiplicadas em prol de seu reino.

É essa a verdadeira medida do sucesso — e a mensagem do restante deste livro. Mas, agora mesmo, minha colaboradora, Nora, e eu queremos nos apresentar a vocês por meio de nossas histórias de amor e trabalho.

"Uma Enorme TV em Cores"

Quando eu (Carolyn) era menina, costumava ir com minha mãe visitar uma de suas amigas que vivia em um convento. Nesse lugar, havia o maior aparelho de televisão em cores que eu já vira. Assim, por algum tempo, sempre que alguém me perguntava o que eu queria ser quando crescesse, eu respondia prontamente: "Freira. Elas têm um aparelho de TV em cores *enoorme!*".

Obviamente, minha primeira escolha vocacional não fora bem pesquisada.

Nem mesmo alguns anos mais tarde foi bem pesquisada a ideia de eu me tornar ginasta das Olimpíadas. Eu não era baixinha e miúda o suficiente, nem tinha boa coordenação motora. Tinha excesso de entusiasmo, mas um sério déficit de habilidades.

NOSSA HISTÓRIA

Na fase adulta, o tema do convento reapareceu. Estava no início da casa dos 40, era solteira, não tinha filhos, e estava passando o Natal na casa de meus pais — enquanto minhas irmãs casadas passavam as festas com suas próprias famílias. Sentados à mesa do café da manhã no dia de Natal, minha mãe olhou para mim e disse: "Sabe, seu pai e eu estamos preocupados com você. Quando tivermos partido, queremos saber que você será bem cuidada. Então, estive pensando... você consideraria a ideia de entrar em um convento?".

Talvez não tenha sido a melhor hora para as emoções de uma mulher solteira. O Natal tem todo o tipo de expectativas embrulhadas. Mas eu tenho de aplaudir o fato de ela ter-se preocupado comigo.

"Não, Mãe, não pensei nisso. Acho que é porque já tenho um enorme aparelho de TV em cores", disse eu.

Ah! Está certo, isso é o que eu *deveria* ter dito, mas, na verdade, sequer imaginei isso até alguns anos mais tarde. Teria sido uma resposta mais esperta. Apenas pensei com meus botões: "Um convento? *Sério?*".

Embora o convento fosse a única opção para a maioria das mulheres solteiras na Idade Média, felizmente eu tinha mais algumas opções vocacionais no século XXI.

Por mais de trinta anos, tenho trabalhado em diversas posições na televisão, em produção de filmes, publicações impressas e empresas de comunicação. Trata-se de uma façanha surpreendente, pois continuo afirmando que tenho

mulher, cristã e bem-sucedida

apenas 29 anos. (Não ache graça disso. Isso só me estimula a continuar batendo na mesma tecla!)

Mais recentemente, abri minha própria companhia de filmes. No ano em que comecei, a economia estava desmoronando mais depressa do que eu conseguia elaborar meu plano empresarial. Já tinha dado aviso prévio em meu emprego anterior e faltavam apenas alguns meses para encerrar uma ocupação que eu mantivera por uma década. As manchetes dos noticiários faziam a cabeça girar enquanto caíamos em espiral bem no fundo da Grande Recessão. Lembro claramente o sentimento de ruína, perguntando-me se eu havia tomado a decisão certa.

A indústria passava por uma grande mudança na forma como os filmes eram apresentados e distribuídos no mercado, e eu não queria perder a oportunidade de navegar nessa onda. Essa era a parte empolgante da coisa. O lado peculiar era que eu não esperava tornar-me empresária em meados da casa dos 40 anos. Esperava ser como minhas irmãs mais novas: uma mulher casada com três filhos, passando a maior parte do tempo em um SUV. Éramos todas incrivelmente ocupadas nesse estágio da vida, mas minha agitação toda não me chamava de "Mamãe".

Dez anos antes, eu dera um salto semelhante quando a empresa para a qual eu trabalhava na Virgínia fechou. Eu era uma nova cristã e sabia que, se quisesse continuar na indústria de filmagem, teria de me mudar para Nova York ou Los Angeles. No entanto, resolvi ficar onde estava por

NOSSA HISTÓRIA

amor à minha igreja. Esperava que, um dia, eu tivesse o privilégio de ser esposa e mãe. Antes de minha conversão, aos 30 anos, eu não tinha uma visão muito boa acerca do casamento. Mas, depois de me tornar crente em Jesus, passei a nutrir novo apreço por isso. Assim, com esperanças brilhantes, fiz a transição de minha carreira em filmes para uma carreira como escritora *freelancer*. Na minha cabeça, essa seria a profissão perfeita para me integrar à vida em família: é fácil fazer as coisas a partir do lar e é possível aumentar ou reduzir o ritmo, conforme a necessidade.

Contente comigo mesma por planejar uma carreira flexível, fiquei esperando o marido e os filhos aparecerem. Quando, depois de alguns anos, eles não se materializaram, acabei voltando para o trabalho em tempo integral. Precisava do dinheiro. Ainda tinha esperança de me casar e ter uma família, acreditando que poderia voltar para a experiência de escrever como *freelancer*, se isso fosse necessário.

Infelizmente, meus planos em longo prazo não incluíam a ideia de que eu permaneceria solteira. Dez anos depois, eu estava em meados da casa dos 40 e precisava pôr em prática um plano de retaguarda que eu não tinha. Foi quando resolvi dar o grande mergulho, como criadora de filmes independentes.

Mas apresentar-se como escritora independente é imensamente mais fácil do que criar uma companhia limitada com investimentos privados e miríades de ramificações financeiras e legais. Meu primeiro ano no negócio foi uma dura curva de aprendizado de regulamentações do governo quanto a produção e implementação do trabalho cinematográfico, previsões de entrada em dinheiro vivo e investimento em softwares de contabilidade. Foi um exercício de construção da fé como nenhum outro que eu já experimentei. Aprendi a orar pedindo o "pão de cada dia". Quando não sabemos de onde virá o próximo cheque de pagamento, a fidelidade de Deus torna-se ainda mais vívida.

Agora, sou empregadora de uma pequena equipe. Não é o mesmo que ser mãe, mas sinto a obrigação maternal de prover meus empregados. Embora minha vida não se tenha desenvolvido de acordo com minhas próprias expectativas, tenho visto Deus trabalhar nela de diversas maneiras. Tenho muitos testemunhos de orar pedindo um trabalho, um contrato ou um contracheque pago — e ver tudo acontecer de um modo quase milagroso.

Minhas experiências de trabalho me ensinaram que posso confiar em Deus. Ele tem me direcionado com frequência a assumir diversos riscos sempre que recomeçava a carreira, em intervalos periódicos, mas sempre foi fiel em me prover. Esses empreendimentos não vinham sem preocupação, estresse ou orçamento apertado, mas eram todos instrutivos — especialmente quanto a meu próprio caráter. O trabalho tem sido meu cadinho para a santificação. Nada revela mais uma atitude de orgulho e impaciência do que um grande projeto com um prazo de entrega loucamente apertado e um orçamento incrivelmente pequeno. "O amor é paciente,

NOSSA HISTÓRIA

é benigno" (1 Coríntios 13.4) muitas vezes tem sido uma mensagem mais significativa em meu escritório.

Conforme tenho aprendido, Deus tem um propósito para nossa produtividade. Ele usa nosso trabalho diário como um meio de transmitir graça a outras pessoas e aprender mais sobre ele. Estou totalmente cônscia de que vivo pela graça e em nenhum outro lugar vejo isso com maior clareza do que em meu trabalho.

Fazendo Deus Rir

No mesmo período em que Carolyn começava sua companhia de filmes, eu (Nora) ligava para pedir que escrevesse um livro para mulheres a respeito do trabalho. A maré crescente de questões na mídia e no olhar do público, bem como minhas lutas internas, despertava nosso interesse. Tivemos uma conversa bastante longa pelo telefone.

Descobrimos que, embora tivéssemos experiências de vida distintas, concordávamos quanto aos problemas que enfrentávamos como mulheres cristãs no trabalho. Vimos que muitas de nossas ideias, expectativas, pensamentos e sentimentos quanto ao trabalho se entrecruzavam, embora eu não tenha me casado, nem tido filhos.

Amo e valorizo os papéis de esposa e mãe, mas o trabalho sempre foi uma parte importante em minha vida. De início, eu acreditava que minha carreira como nutricionista

mulher, cristã e bem-sucedida

seria boa para me lançar nesses papéis. Agora, percebo quão pouco eu sabia sobre trabalho quando era jovem.

Enquanto eu crescia, pertencia à geração criada sob os grandes efeitos das vitórias do feminismo. Ajudava também o fato de ser uma época de prosperidade sem precedentes. Encontrar um emprego para o qual fui educada, e no qual me sentisse realizada, era a concretização de todos os meus sonhos.

As moças da minha idade acreditavam que podíamos fazer tudo e ser tudo que estipulássemos como meta. Ouvíamos: "Seja a primeira mulher presidente!" ou "Vá transformar o mundo!". Nós tínhamos esse direito e só deveríamos subir a escada do sucesso.

Mas sonhos assim não duram muito. As escadas se quebram. As pessoas se esquecem de segurar a escada. Os planos mudam. Eu acho que, toda vez que você quiser fazer Deus dar uma risada, deverá dizer-lhe que tem um plano. Meu plano era terminar a faculdade, casar-me, trabalhar por uns dois ou três anos e, então, tirar um tempo para criar uma família. Achei que as horas flexíveis de uma nutricionista na profissão médica se encaixariam muito bem em meus objetivos e interesses.

Lembro-me da primeira vez que entrei numa sala de nutricionistas. Estava repleta de mulheres bem-resolvidas e confiantes. *Perfeito*, pensei. *É aqui que eu me encaixo. Estas mulheres são iguaizinhas a mim!*

NOSSA HISTÓRIA

Naquele dia, ir àquela reunião fez com que eu pensasse que me encaixava, que encontrara meu lugar, o tipo certo de trabalho e o tipo certo de pessoas. Encontrara algo para fazer que parecia ter sido feito para mim. A vida seguia de acordo com o meu plano — terminara a faculdade, conseguira uma desejada posição de estagiária e, agora, estava no rumo certo de minha carreira.

Quando estava no ensino médio, jurei que terminaria a faculdade. Na minha escola particular, ouvia dizer que as meninas não precisavam de exigências maiores em Matemática, porque seríamos apenas esposas e mães. Esse comentário provocou minha ambição. Nem eu nem meu pai acreditávamos nisso. Filho de imigrantes, ele acreditava que o estudo era um privilégio. Seu sonho era que suas quatro filhas frequentassem a faculdade e se formassem. Conquanto meu pai me estimulasse a buscar educação, minha mãe estava à frente do lar, encorajando-me a incluir o casamento e a família em minhas aspirações. Ser esposa e mãe estava no meu radar, mas eu dizia a mim mesma que queria mais do que este mundo tinha para oferecer antes de me estabelecer.

Tudo veio à tona no verão em que terminei meu estágio na Costa Leste. Quando meu programa se encerrou, eu havia terminado com meu namorado, que vivia longe, no Texas. Eu havia voltado para casa, para viver com meus pais — sem namorado, sem emprego, sem rumo. Sentia-me desiludida.

mulher, cristã e bem-sucedida

Minha fé bateu de frente com o muro da realidade. Eu achava que, por ter trabalhado e me esforçado tanto nos anos de ensino médio e faculdade, Deus me devia alguns favores. Eu pensava: *Se você der duro no trabalho, tudo vai trabalhar a seu favor*. Achei que isso não fosse apenas meu plano, mas também *o plano* que Deus tinha para as boas moças cristãs.

Foi nesse ponto que eu acho que Deus começou a dar risadas. Especialmente quando comecei a namorar um daqueles que eu dizia "nunca, jamais!". Depois de minhas experiências anteriores, eu dissera que jamais voltaria a namorar alguém a distância. "É difícil demais", eu dizia a mim mesma. Mas esse homem, Travis, que mais tarde se tornaria meu marido, conquistou-me com suas palavras encorajadoras, a despeito das três mil milhas que havia entre nós.

Acontece que Deus tinha um plano diferente do meu, mas era bem melhor do que eu esperava. Jeremias 29.11 diz: "Eu é que sei que pensamentos tenho a vosso respeito, diz o Senhor; pensamentos de paz e não de mal, para vos dar o fim que desejais". Esse versículo foi repetido para mim durante toda a minha infância e agora fazia mais sentido, pois eu via Deus dirigindo minhas escolhas iniciais de vida. Independentemente do que eu dizia que faria ou não, Deus sempre me convencia de que o que ele me oferecia era infinitamente melhor.

E eu precisaria disso quando crescesse.

NOSSA HISTÓRIA

Lições no Deserto

Depois que Travis e eu nos casamos, mudamo-nos para o Arizona, onde, na época, ele vivia. Não foi fácil começar tudo de novo. Tínhamos de edificar um novo casamento, como também reconstruir tudo que eu tivera antes, na Costa Leste. Mesmo assim, eu imaginava estar, mais uma vez, no rumo certo com os alvos de minha vida.

Durante os meus sete anos ali, trabalhei como nutricionista registrada em parceria com dois hospitais. Eu via os pacientes no hospital, dedicava meu tempo à construção de uma clientela mais ampla, por meio de um programa educativo de nutrição na comunidade, e me esforcei bastante para desenvolver uma clientela particular. Eu gostava do meu trabalho. Isso, porém, ainda era no Velho Oeste, agravado pela Grande Recessão. Apesar do sucesso de meu trabalho, fomos afetados por inúmeras circunstâncias que não podíamos controlar. Mudamos de residência cinco vezes. Meu marido teve sete empregos diferentes. Tivemos dois bebês não planejados. Por duas vezes, tivemos de recorrer ao seguro-desemprego. Do lado de fora, podia parecer que vivíamos o sonho americano: estávamos casados, com dois filhos, tínhamos comprado uma casa. Mas, quando a nossa *van* começou a quebrar repetidas vezes, passando pelo menos uma semana de cada mês na oficina, e não em nossa garagem, nossa conta bancária ficou totalmente esvaziada. Havia também aqueles momentos humilhantes em que tínhamos de aceitar dinheiro da família e dos amigos para pagar as contas. Não existe sentimento de sucesso quando precisamos nos candidatar à assistência social pública.

E tudo isso estava bem longe da ideia que eu tinha sobre o meu futuro.

Para uma moça criada em uma geração e em um lugar no qual todo empreendimento prosperava com grande lucro, isso representava uma derrota completa. Na Costa Leste, eu havia dirigido uma lucrativa empresa de bufês por seis anos. Agora eu tinha de trabalhar só para pagar as contas. *"Por que nada pode ser fácil?"*, eu perguntava a mim mesma pela manhã, ao colocar as coisas e as crianças no carro para levá-las à casa da avó, a fim de correr para o trabalho e, em seguida, correr de volta para eles e para nossa casa.

Mais uma vez, eu estava sendo confrontada por minhas próprias expectativas em relação ao trabalho. Eu achava que o trabalho dizia respeito a, devagar e sempre, alcançar o sucesso, construindo alguma coisa que ficava cada vez melhor e maior. Mas aqui estávamos nós, um casal com formação universitária, sendo meu marido pós-graduado, dando presentes de Natal da loja em que ele conseguia trabalho temporário.

As lições que aprendi nos tempos difíceis realmente forjaram a minha dedicação ao assunto deste livro. Todos os meus ideais sobre trabalhar ou ser uma mãe que fica exclusivamente em casa com os filhos foram jogados pela janela nesses anos, como, por exemplo, quando tive de deixar meu bebê com oito semanas em casa com o papai para voltar ao trabalho. Isso fez com que eu desejasse aprender mais a respeito do trabalho como mulher cristã. Depois de minha experiência, mais do que nunca estava convencida de que as jovens devem estudar e se formar para ter uma habilidade para a qual voltar nos tempos difíceis.

Eu tive de, literal e espiritualmente, passar pelo deserto para aprender essas lições. Tive de crescer e sair dessas ideias preconcebidas sobre a minha vida. Não podia trabalhar porque tinha um ponto para provar ou para me realizar. Juntos, Travis e eu tivemos de aprender que ninguém nos deve nada só porque nós *damos duro* ou porque temos um diploma de estudos avançados. Quando a vida não era fácil, aprendemos que tínhamos de trabalhar não somente para nossa satisfação pessoal ou para suprir necessidades básicas, mas também para Deus.

Um Novo Começo

Chegou uma hora em que conseguimos ficar de pé. A economia se estabilizou e nossas vidas também se firmaram. Estranho que meu questionamento quanto ao trabalho não tivesse cessado quando as coisas se tornaram mais fáceis para nós. Na verdade, minha paixão por esse assunto até cresceu.

Travis também me estimulava a ser ambiciosa. Deixava pela casa todos os seus livros sobre empreendedorismo e,

mulher, cristã e bem-sucedida

depois de ele deixar uma pilha bem grande no criado-mudo, comecei a pegar esses livros e lê-los com voracidade. Eu pensava: *Por que não existem bons livros como estes destinados a mulheres?* Prosseguindo em minhas conversas com Carolyn, percebi que realmente desejava ler um livro desse tipo.

Agora, porém, tenho novas perguntas para acrescentar a essa lista. Assim que achei que havia compreendido tudo e me vi mais tranquila no Arizona — trabalhando em tempo parcial, cuidando de meu lar, com Travis estável no trabalho —, mudamo-nos para ter uma nova oportunidade e um novo começo. De volta à Costa Leste dos Estados Unidos, eu fiz a transição para ser uma mãe que permanece em casa o tempo todo pela primeira vez em todos os anos de casada.

Ficar em casa com filhos pequenos tem-me oferecido um novo conjunto de desafios. Depois de trabalhar por 17 anos, luto com novos aspectos das mesmas questões de produtividade — a partir do lar. Agora pergunto: Será que eu deveria trabalhar fora quando não mais preciso tanto? É errado eu me sentir desanimada por estar em casa? Deveria, no próximo ano, começar a investir em minha profissão antes de pensar em ter outra criança? Devo mesmo ter outro bebê?

Agora, que minha vida está um pouco mais tranquila, descobri que tenho de enfrentar uma nova enxurrada de pressões. Atualmente, Travis e eu vivemos numa região de alta competitividade e eu sou pressionada a ser determinado tipo de mãe. Sou bombardeada não apenas com as expectativas culturais de sucesso profissional, como também com

NOSSA HISTÓRIA

pressões pessoais — como, por exemplo, as de apresentar um lar e filhos perfeitos. A era digital só agrava essa situação. Quando as redes apresentam perfeição por todo lado, é fácil nos sentirmos intimidadas com as comparações. Então, eu me pergunto: Será que estou *fazendo o bastante*?

Por isso a pesquisa que fizemos para este livro está me ajudando a navegar pela minha vida de hoje e as escolhas que tenho de fazer pela fé em Deus, quer eu trabalhe fora da minha casa, quer permaneça apenas no lar. O que Carolyn e eu sentimos é a necessidade de uma perspectiva maior de produtividade. Conquanto nossas vidas de trabalho sejam muito diferentes, nós vemos valor no trabalho que fazemos. Temos necessidade de compreender como chegamos à ideia de que um tipo era melhor do que o outro. Portanto, nos demais capítulos desta seção, examinaremos a história do trabalho das mulheres. Isso deverá nos ajudar a entender as pressuposições que trazemos às nossas próprias narrativas e as expectativas que temos acerca do trabalho.

Carolyn e eu somos apenas duas histórias dentro da narrativa maior que Deus está criando e na qual está trabalhando. Nós as oferecemos como um modo de você vir a nos conhecer e ver de onde viemos à medida que vamos examinando esse assunto. Reconhecemos que temos pontos cegos em nossa experiência. Sabemos que somos limitadas. Também reconhecemos que nossas histórias ainda estão inacabadas. Como até aqui Deus tem sido fiel em nos ajudar na obra, sabemos que o será também para vocês. Como diz

mulher, cristã e bem-sucedida

o Salmo 33.4: "A palavra do Senhor é reta e todo o seu proceder é fiel".

02 {a história moderna

Não me recordo de brincar de casinha quando eu era pequena. Eu era realmente uma criança ativa, com muita imaginação, mas só me lembro de brincar de escritório ou escola. Nesses cenários, eu era sempre grande e era eu quem mandava! Era sempre professora ou chefe — nunca a aluna ou a abelha trabalhadora.

Certa noite, fiquei refletindo sobre essa lembrança em voz alta com a minha irmã, que é contadora e mãe de três filhos, enquanto examinávamos o balanço financeiro de minha empresa.

— Você acha significativo o fato de eu nunca ter brincado de casinha? De jamais ter *fingido* ser mãe? — perguntei, em parte brincando. — Por que esse papel não existia na tela do meu radar quando eu era menina?

Fui uma menina que cresceu nos anos 1960 e 1970. Como diz o ditado, somos todos produtos de nosso tempo. Se você tiver menos de 30 anos, os meus tempos servem de base para o que você está experimentando hoje. Interessante, hoje muitas mulheres abaixo dos 30 desconhecem o que aconteceu na vida daquelas que já comemoraram os 29 anos muitas vezes. O conflito moderno entre trabalho e família escalonou na minha vida, mas existe uma história mais longa acerca da produtividade feminina, da qual é preciso remover o pó, trazendo-a de volta, se quisermos compreender a vida de nosso tempo. Só podemos entender para onde vamos quando compreendemos de onde viemos.

Neste capítulo, vamos olhar para a história recente e examinar como formou nosso entendimento atual acerca de identidade, ambição, os anos de "ninho vazio" e muito mais. Mas, nos dois capítulos seguintes, vamos retroceder muitos séculos, a fim de entendermos melhor o trabalho das mulheres ao longo da história. O ponto focal desses capítulos é fundamentar nosso entendimento atual acerca da produtividade feminina em uma análise clara da história. Nos capítulos subsequentes, vamos contrastar essa perspectiva histórica com o ensinamento bíblico.

Fiquem comigo em algumas páginas da história da América no século XX.

A HISTÓRIA MODERNA

Homens Zangados, Mulheres Iradas

O ano em que nasci, 1963, foi um marco de grandes transformações em muitas áreas. Os norte-americanos foram proibidos de viajar ou investir na Cuba de Fidel Castro. George Wallace tornou-se governador do Alabama e, em seu discurso inaugural, lançou um desafio: "Segregação agora, segregação amanhã e segregação para sempre!". Betty Friedan publicou *A mística feminina*, dando início ao movimento de libertação das mulheres nos Estados Unidos. Os Beatles lançaram seu primeiro álbum, *Please Please Me*. Martin Luther King Jr. fez seu discurso "I Have a Dream" em Washington, D.C. O Presidente John F. Kennedy foi assassinado em Dallas, Texas.

E Gloria Steinem foi contratada como coelhinha da *Playboy*.

Em contraste com esses eventos culturais e políticos definidores, o trabalho como coelhinha de Steinem pode não parecer significativo. Mas Steinem escreveu a respeito para denunciar um emprego apresentado como glamouroso e poderoso, mas que, na realidade, diminuía as mulheres — não apenas pelas fantasias que elas vestiam nos clubes da Playboy. O artigo de Steinem revelava as condições de trabalho e os abusos salariais sofridos pelas coelhinhas. O artigo elevou o perfil de Steinem e, até o início dos anos 1970, ela foi uma das líderes do Movimento de Libertação Feminina e cofundadora da revista feminista *Ms*. A *Playboy* refletia as tensões do local contemporâneo de trabalho, que afetavam tanto os homens como as mulheres. De forma irônica, Hugh Hefner havia fundado a revista *Playboy* na década anterior, como uma forma de se rebelar contra a pressão que os homens sentiam de se conformar com o papel de ganha-pão. Como um historiador observou, Hefner percebeu essa alienação sentida por alguns homens em seu trabalho muito antes de o Movimento de Libertação Feminina estourar.

> Em 1953, Hugh Hefner fundou a revista *Playboy* para dar voz à revolta contra as responsabilidades familiares dos homens. Hefner insistia em que os homens deveriam "gozar o prazer que a fêmea tem para oferecer sem se envolver emocionalmente" — ou pior, a responsabilidade financeira. Na primeira edição da *Playboy*, um artigo intitulado "Miss Gold-Digger of 1953" (Miss Cavadora de Ouro de 1953) atacava as mulheres que esperam que os homens as sustentem. Outro artigo do mesmo ano lamentava o número de "tristes maridos que andam cabisbaixos pelas ruas, controlados pelas mulheres nesta terra dominada pelas mulheres". Por volta de 1956, a revista já estava vendendo mais de um milhão de cópias por mês.[1]

---

[1] Stephanie Coontz, *Marriage, a History: How Love Conquered Marriage* (New York: Penguin Books, 2005), 251–52.

A HISTÓRIA MODERNA

A maioria das pessoas identifica a turbulência dos anos 1960 como o ponto de virada da história norte-americana quanto aos papéis de gênero e família. E, de muitas maneiras, foi mesmo, mas havia uma longa história precedente.

Fabricando uma Nova Normalidade

Alguns apontam para os anos 1950 como ideais, reclamando, em alta voz, que desejariam voltar àquela década. Mas, se afastarmos a cortina da nostalgia, descobriremos que os anos 1950 foram uma década marcante, com fortes subcorrentes de reviravoltas. A Guerra da Coreia, a Guerra Fria, a integração racial e a campanha por direitos civis, a paranoia em relação ao comunismo e a introdução do rock foram fontes de algumas dessas tensões.

O que mais caracterizou os anos 1950 foi quanto as pessoas trabalhavam para criar uma "nova normalidade" depois dos transtornos e das perdas de duas Guerras Mundiais e da Grande Depressão. Essa "nova normalidade" incluía novas formas de viver enquanto a economia era fortalecida. Com marco no final dos anos 1940, a expansão para os subúrbios alterou, de modo substancial, a paisagem americana, com milhões de novos lares sendo construídos. A economia cresceu rapidamente e, até meados dos anos 1950, mais de metade da população tinha níveis de salário de classe média. Até o final da década, quase dois terços de todas as famílias americanas eram proprietárias de suas casas, 87% tinham televisores e 75% eram proprietárias de automóveis.[2] Essa "nova normalidade" é o que hoje nem consideramos novidade, mas essa rápida expansão da classe média afetou, de maneira significativa, as famílias americanas de meados do século passado. Como observa um historiador, a vida da família era mostrada num lar repleto de novos bens de consumo:

> Nos anos 1950, as aspirações de consumo faziam parte da construção da família pós-guerra. Em sua edição de abril de 1954, a revista *McCall* anunciou a era do "sentimento de unidade", em que homens e mulheres construíam um modo de vida "novo e mais caloroso... como família que compartilha uma experiência em comum". Nas revistas femininas, esse "sentimento de unidade" era sempre mostrado em um ambiente cheio de aparelhos eletroeletrônicos modernos e outros novos produtos de consumo.[3]
>
> Nos cinco anos depois da Segunda Guerra Mundial, os gastos com alimentos nos Estados Unidos subiram modestos 33% e os gastos com vestuário apenas 20%, mas as compras de móveis e aparelhos domésticos saltaram para 240%.[4]

---

2 Ibid., 231.
3 Ibid., 232.
4 Ibid., 233.

A HISTÓRIA MODERNA

Enquanto a propaganda comercial e a televisão criavam a imagem doméstica de uma família satisfeita com seus reluzentes aparelhos domésticos, as tensões decorrentes da "Guerra das Mães" e a busca por equilíbrio entre trabalho e vida pessoal começavam a fervilhar. Esses itens eram alardeados como aparelhos para economizar o tempo, mas a realidade era que não só tornavam mais fácil o trabalho, como também aumentavam o padrão de limpeza. Os estudos mostram que, em consequência, as mulheres gastavam mais tempo com o trabalho doméstico, e não menos.[5]

De forma irônica, as mulheres que haviam trabalhado nas indústrias agora estavam vendo isso como a "nova normalidade". Durante a Segunda Guerra Mundial, o governo dos Estados Unidos havia promovido amplas campanhas de propaganda para atrair as mulheres para a força de trabalho, a fim de ajudar nos esforços de guerra. Essa campanha foi dirigida pela War Manpower Commission (Comissão de Trabalho para a Guerra), uma agência federal criada para incrementar a manufatura de materiais bélicos. O governo pressionava revistas, cinema, jornais, rádio e expositores dentro de lojas para estimular as mulheres a entrarem no mercado de trabalho. Mais de 125 milhões de anúncios foram feitos com pôsteres ou propagandas de página inteira nas revistas nesse período. Conforme

---

5 Ruth Schwartz Cowan, "Less Work for Mother?" *American Heritage Magazine*, September/October 1987, Volume 38, capítulo 6. Disponível em http://www.american heritage.com/content/less-work-mother?page=3.

salientava o Basic Program Plan for Womanpower in the Office of War Information (Plano de Programa Básico para Mulheres no Escritório de Informações de Guerra), "esses empregos terão de ser glorificados como serviço patriótico de guerra, se quisermos persuadir as mulheres americanas a assumi-los e neles permanecer. Sua importância para uma nação totalmente envolvida na guerra terá de ser apresentada de modo convincente".[6]

Em resposta, mais de seis milhões de mulheres entraram na força de trabalho durante a Segunda Guerra Mundial, assumindo o trabalho industrial em lugares como estaleiros, marcenarias, usinas siderúrgicas e laboratórios industriais. (Para as mulheres afro-americanas, a maioria delas empregadas no setor de serviços antes da Segunda Guerra, o esforço de guerra só teve efeito temporário. Seus principais empregos eram, e continuariam a ser pelos próximos trinta anos, relacionados a serviços domésticos, com um pequeno segmento de ocupações em escritórios.)[7] Conforme observou um historiador, a gama de empregos abertos para as mulheres durante a guerra foi impressionante:

> De repente, milhões de trabalhadoras femininas assumiram posições essenciais, antes consideradas exclusivamente masculinas, como de moto-

---

[6] The Pop History Dig website, "Rosie the Riveter", http://www.pophistorydig.com/?p=877. Acesso em 28 maio 2012.

[7] Abdul Alkalimat and Associates, *Intro to Afro-American Studies: A Peoples College Primer* (Chicago: Twenty-first Century Books and Publications, 1984), Capítulo 11. Disponível em http://eblackstudies.org/intro/chapter11.htm.

ristas de táxi, ascensoristas, motoristas de ônibus e seguranças. Em apenas um ano, o número de mulheres que trabalhavam na indústria de defesa aumentou em 460%, número que se traduz em 2,5 milhões de mulheres designadas para as tarefas mais imprevisíveis. Em vez de fazer cópias ou designar tarefas para casa, muitas mulheres agora manufaturavam peças para tanques de guerra, estruturas de aviões, hélices, peças de paraquedas, navios, máscaras de gás, botes salva-vidas para navios, munição e artilharia.[8]

E elas eram boas no que faziam. Em maio de 1942, a *Business Week* reportou: "As fábricas de aviões consideram as mulheres 50% a 100% mais eficientes na colocação da fiação de painéis de instrumentos do que os homens, devido ao maior cuidado em geral e à maior atenção aos detalhes".[9]

Acabadas a guerra e a campanha "Rosie-the-Riveter" de atrair mulheres trabalhadoras, esperava-se que as mulheres deixassem o mercado de trabalho. Mas não foi isso que aconteceu a muitas delas. Apenas dois anos depois de terminada a guerra, o número de mulheres que entravam no mercado de trabalho dos Estados Unidos começava a ser maior do que o número daquelas que saíam. Até 1952, havia, de fato, dois milhões a mais de esposas no mercado de trabalho do que no auge da guerra, e houve um aumento de 400%

---

[8] Betsy Israel, *Bachelor Girl: The Secret History of Single Women in the Twentieth Century* (New York: William Morrow/HarperCollins, 2002), 165.

[9] Ibid., 167.

de mães que trabalhavam no decorrer dos anos 1950. Uma parte disso se devia às exigências de trabalho. Embora os empregadores tivessem o direito de exigir que as funcionárias permanecessem solteiras como condição do emprego, a economia pós-guerra precisava de mulheres para empregos em escritórios, vendas e serviços de baixos salários. Com tantas mulheres se casando tão jovens, não havia um número suficiente de solteiras para preencher essa demanda. Assim, tanto os empregadores como o governo começaram a relaxar os obstáculos para se contratarem as mulheres casadas. Mas a maioria das que entravam na força de trabalho tinha mais de 45 anos e já havia cumprido a maior parte de seus deveres com a criação dos filhos.[10]

"Isso é Tudo?"

Chegou o ano crucial de 1963, ano de duas grandes "primeiras vezes" para as mulheres: a física Maria Goeppert-Mayer ganhou o Prêmio Nobel por um modelo matemático elaborado para a estrutura de camadas nucleares — a primeira mulher americana a realizar esse feito — e a cosmonauta soviética Valentina Tereshkova tornou-se a primeira mulher no espaço.

Apesar desses marcos de "primeira vez", a maioria das mulheres enfrentava sérias limitações em seus trabalhos.

---

10 Coontz, *Marriage, a History*, 235.

A HISTÓRIA MODERNA

Em 1963, o Presidente Kennedy assinou o Ato da Igualdade Salarial, que proibia "discriminação no pagamento de salários pelos empregadores com base no sexo do empregado". Em seguida, o presidente sancionou o Ato de Direitos Civis, que proibia que os locais de trabalho cometessem atos de discriminação em virtude de raça, cor, religião, sexo ou nacionalidade. (Essa lei foi aprovada em 1964, mas não foi cumprida de fato até mais de uma década depois.)

Na mesma época, Betty Friedan começou sua turnê de publicidade para o livro *A mística feminina*, desafiando a ideia de que as mulheres deveriam sentir-se realizadas apenas como esposas e mães. Friedan introduziu a ideia da "síndrome da dona de casa engaiolada", assinalando que as donas de casa estavam se perguntando: "Isso é tudo?". Ela estava decidida a transformar o papel das donas de casa americanas, e conseguiu seu intento — desencadeando a segunda onda do feminismo nos Estados Unidos. (A primeira girou em torno da campanha do século XIX, a fim de obter o direito de voto para as mulheres.) O livro de Friedan é considerado um dos mais influentes de não ficção do século XX. Mas a historiadora Glenna Matthews observa que, embora esse livro tenha sido importante e impactado profundamente seu tempo, os argumentos de Friedan eram deficientes:

> *A mística feminina* tem de ser tratada sob dois aspectos: como documento e como análise. No

primeiro caso, o livro é uma fonte valiosa; no segundo instante, seu valor é diminuído pela falta de perspectiva histórica da autora. Friedan estava irritada com os acontecimentos dos anos 1950 e exagerava a novidade da situação da dona de casa suburbana em relação às décadas anteriores. Além disso, por haver escrito antes do renascimento da história das mulheres, faltava-lhe qualquer entendimento sobre a versão de domesticidade do século XIX.[11]

Irritada demais para ser totalmente justa, ela presumia que o papel de donas de casa era apenas algo de que as mulheres tinham de ser libertadas. Não levava em conta a questão de quantas carreiras interessantes a sociedade pudesse ter à sua disposição, e se haveria trabalho suficiente para todas. Será que a mulher que só encontrava trabalho mais desvalorizado fora do lar estaria em melhor situação do que a dona de casa? Essa era também uma questão ignorada por Friedan. Finalmente, haveria algum componente do papel de dona de casa que valeria a pena ser preservado? Se houvesse, Friedan não o mencionava. Em vez disso, argumentava que as mulheres precisavam de "algum propósito maior do que o trabalho doméstico e comprar coisas".[12]

---

11 Glenna Matthews, *"Just a Housewife": The Rise and Fall of Domesticity in America* (New York: Oxford University Press, 1987), 217.
12 Ibid., 218-19.

A HISTÓRIA MODERNA

Certamente, as mulheres precisam de um propósito maior do que "trabalho doméstico e comprar coisas"! Mas todos os tipos de trabalho têm suas tarefas corriqueiras e entediantes. Se focarmos apenas essas tarefas, será fácil perder de vista o grande alvo dos esforços. Porém, Matthews está certa ao criticar Friedan por não ter considerado o estado vigente do mercado de trabalho para as mulheres nos anos 1960.

Naquela época, os anúncios de "precisa-se" eram segregados por sexo — "Oferta de trabalho: Masculino" e "Oferta de trabalho: Feminino". Não havia leis contra assédio sexual. Os empregadores tinham o direito legal de mandar embora a mulher quando ela se casasse ou ficasse grávida. (No caso das comissárias de bordo — naquele tempo, "aeromoças" —, elas podiam ser mandadas embora se engordassem ou passassem dos 30 anos.) A maioria das mulheres era impedida de receber hora extra e, em alguns estados, tinha de levantar mais de quinze quilos, o que limitava os empregos disponíveis. A vida era mais dura para mulheres não brancas, que enfrentavam tanto a discriminação por sexo como o racismo no trabalho e, ainda assim, tinham de trabalhar. As esposas que não trabalhavam fora de casa também se encontravam em posição precária. Naquele tempo, somente oito estados davam à esposa direito legal sobre o salário ou a propriedade de seu marido.

Em dezembro de 1962, a revista *Saturday Evening Post* publicou um artigo sobre a condição das mulheres americanas, incluindo a pesquisa de opinião feita por George Gallup com mais de 1.800 mulheres americanas. Gallup encontrou "apenas duas pequenas imperfeições" na vida das donas de casa americanas dos anos 1960:

> Uma era o que ele descreveu como o desejo "um tanto queixoso" das esposas de serem mais elogiadas por seus maridos e filhos. Uma mulher explicou: "O homem recebe sua satisfação com seu cheque de pagamento e por outros pedirem os conselhos dele. O prestígio de uma mulher vem das opiniões de seu marido a respeito dela...".
> A segunda preocupação de Gallup era quanto ao que essas mulheres, agora tão focadas no casamento e em ser mães, fariam nos "anos vazios", depois que os filhos crescessem e saíssem de casa. Nenhum dos entrevistados mencionava isso como um problema, mas Gallup se preocupou com a falta de antevisão a esse respeito. "Com as pessoas se casando cada vez mais cedo e a longevidade mais extensa, o casamento agora é uma carreira em tempo parcial para as mulheres e, a não ser que elas se preparem para os anos de maior liberdade, esse período será de perdas. A sociedade norte-americana não aceitará bem os milhões de mulheres ociosas na casa de seus 40 anos."[13]

---

13 Stephanie Coontz, *A Strange Stirring: The Feminine Mystique and American Women at the Dawn of the 1960s* (New York: Basic Books, 2012), extraído do capítulo "The Unliberated 60s" (Kindle).

A HISTÓRIA MODERNA

A previsão de Gallup quanto aos "anos vazios" era um reflexo das disputas feministas dos anos 1980 e das discussões sobre se "as mulheres conseguem fazer tudo", de décadas mais tarde. Mas, no começo dos anos 1960, o que mais atingiu as mulheres no local de trabalho foi a "revolução dos contraceptivos". Conforme escreve a historiadora Stephanie Coontz: "A revolução dos contraceptivos nos anos 1960 foi uma quebra muito mais dramática com a tradição do que a chamada revolução sexual, que, na verdade, fora iniciada há oitenta anos".[14] Cinco anos depois de o FDA (Food Department Administration) dos Estados Unidos aprovar a primeira pílula anticoncepcional, em 1960, mais de seis milhões de mulheres americanas estavam tomando a pílula. Dois anos mais tarde, mais de 12,5 milhões de mulheres no mundo inteiro a estavam tomando.[15] Isso alterou, de modo significativo, a linha do tempo da vida das mulheres, desafiando as tradições de emprego que presumiam que a gravidez sempre estava prestes a acontecer com as mulheres nos anos em que podiam ter filhos.

---

14 Coontz, *Marriage, a History*, 254.
15 Programa "The Pill" na American Experience (PBS). Linha de tempo histórica publicada pela PBS. Disponível em http://www.pbs.org/wgbh/amex/pill/timeline/timeline2.html. Acesso em 2 jun. 2012.

Sequenciamento

Passados dez anos do início do movimento de libertação feminina, encerrou-se a tendência de aumento da mobilidade econômica. O ano de 1973 marcou uma recessão econômica internacional. Entre 1973 e fins dos anos 1980, o salário médio real caiu para a maioria dos trabalhadores, mas os homens sentiram isso com maior intensidade. Entre 1973 e 1986, a renda média dos homens chefes de família caiu em 27%, enquanto as mulheres que estavam empregadas na área de serviços viram seus salários reais subirem. Assim, em uma difícil economia atacada tanto pela recessão como pela inflação, os salários das mulheres se tornaram necessários, até mesmo essenciais, para muitas famílias.[16]

Nessa época, comecei a ler o jornal diário. Como criança na escola fundamental, muitos de meus pressupostos sobre o mundo eram formados pelas manchetes do dia. Do ponto de vista jovem, parecia que o feminismo ganhara a batalha dos sexos — com certeza, conseguia muita cobertura da imprensa. Tudo que eu lia ou via parecia referir-se a mulheres e trabalho. Cresci acreditando que eu teria um futuro fabuloso, fazendo algo bem interessante. Achei que meu futuro estava no trabalho, e não na maternidade, mesmo que minha própria mãe estivesse em casa diariamente para me olhar enquanto eu brincava de escritório.

---

[16] Coontz, *Marriage, a History*, 258–59.

A HISTÓRIA MODERNA

Crescer com insegurança econômica também ajudava a moldar meu pensamento. Lembro-me claramente da banda de nossa escola de ensino médio aproveitando a crise do petróleo depois da Revolução Iraniana, vendendo rosquinhas aos motoristas que ficavam em longas filas para comprar gasolina racionada. Tudo parecia bastante caro e escasso, o que era mais um incentivo para eu me certificar de que conseguiria ganhar meu sustento.

Quando me formei no colegial e entrei na faculdade, no início dos anos 1980, a maioria das barreiras legais para a igualdade no trabalho e para a igualdade de remuneração das mulheres havia acabado. A lacuna entre os salários dos homens e das mulheres ainda existia, mas era vista como uma luta individual. Nas aulas feministas de estudo sobre mulheres, na faculdade, éramos ensinadas a nos comunicar de forma direta e assertiva, e a negociar nosso salário — características masculinas, e uma das razões pelas quais mais homens do que mulheres obtinham sucesso no mercado de trabalho. Falávamos muito sobre a "rede de trabalho dos velhos rapazes" e sobre assédio sexual no trabalho.

Assim mesmo, as divisões na teoria feminista fervilhavam e eclodiam. Nos anos 1980, o feminismo dos anos 1960 era visto como tendo sido "de assimilação". Tinha enfoque na fundamental similaridade entre homens e mulheres a fim de promover a igualdade e dar às mulheres oportunidades tipicamente reservadas aos homens. Mas, nos anos

mulher, cristã e bem-sucedida

1980, algumas feministas começaram a considerar como as mulheres *como grupo* eram diferentes dos homens como grupo, e as discussões giravam em torno de afirmar essa diferença como algo legítimo e positivo. Lembro-me de debates sobre como as feministas deveriam forçar a estabelecer os ciclos de vida das mulheres como diferentes dos ciclos de vida dos homens — vendo essa diferença como algo bom e aceitável. Isso era chamado de "feminismo da diferença", mas o termo que me lembro de ouvir mais naquele tempo era "sequenciamento".

Em vez de afirmar que as mulheres deveriam seguir a mesma linha do tempo e o mesmo ciclo de vida dos homens, as "sequenciadoras" defendiam o estabelecimento de uma linha do tempo diferente para as mulheres — reivindicando que a noção realmente radical seria afirmar a janela de fertilidade para as mulheres, permitindo que elas entrassem e saíssem de seus empregos conforme a necessidade de ter filhos, *sem que fossem penalizadas por isso*.

Infelizmente, o sequenciamento não deslanchou, pelo menos não de um jeito que estimulasse as mulheres a pensar em todo o arcabouço de suas vidas, planejando adiante para as estações da maternidade e para os períodos de maior envolvimento com a comunidade ou o mercado de trabalho. Mas, em seu declínio, desenvolveu-se a ideia de "feminismo de escolha", ou seja, qualquer que fosse a escolha feita pela mulher quanto ao rumo de sua vida, essa seria válida — inclusive a opção de ficar no lar em tempo integral com os

A HISTÓRIA MODERNA

filhos. Isso estabeleceu o campo de batalha para a "guerra das mães", que viriam em seguida.

Naqueles pesados dias pós-faculdade, minhas amigas e eu nos sentíamos mais perturbadas pelas escolhas que talvez *não pudéssemos fazer*. Em 1986, a *Newsweek* publicou uma história de capa —"Tarde Demais para o Príncipe Encantado?"— que balançou demais muitas mulheres jovens. Eu fui uma delas. A *Newsweek* dizia que era mais provável uma mulher solteira, branca, de curso superior, de 42 anos, ser morta por um terrorista do que se casar. Embora, naquela época, a idade dos 40 ainda me parecesse estar muito distante, fiquei preocupada com a possibilidade de essa afirmativa ser realmente verdadeira.

Não era. Vinte anos mais tarde, a revista *Newsweek* a revogou.[17]

A historiadora Stephanie Coontz diz que a razão pela qual esse ditame parecia verdadeiro era algo que chamamos de "efeito de independência".

> Diz a teoria que as mulheres procuram parceiros que sejam bons provedores. E quando a mulher tem boas possibilidades de ganhar por si própria seu dinheiro? Uma teoria relacionada, denominada efeito de independência, prediz que ela terá menos incentivo para se casar, e os homens acharão nela uma parceira menos atraente. Além

---

17 Jessica Yellin, "Single, Female and Desperate No More", *The New York Times*, 4 jun. 2006.

disso, se uma mulher nessas condições se casa, estará mais propensa ao divórcio do que outras mulheres.

Por séculos, o efeito da independência tinha considerável peso na Europa Ocidental e na América do Norte. Até os anos 1950, mulheres de cultura superior *eram* menos propensas a se casar do que mulheres com menos educação formal.

Mas, para as mulheres que nasceram de 1960 em diante, as coisas são diferentes. Mulheres formadas por universidades e com salários mais altos agora provavelmente estão *mais* propensas a se casar do que as mulheres com menos educação formal e salários mais baixos, ainda que, em geral, se casem em idade maior do que antes.[18]

A educação e a experiência de trabalho parecem estabilizar os casamentos — mais uma vez, desafiando o pensamento popular. Depois do tumulto do movimento de libertação feminina dos anos 1970, os casamentos de mulheres na idade de cursar faculdade tornaram-se mais estáveis nas décadas seguintes. Até meados dos anos 1990, homens e mulheres americanos formados em faculdades que tivessem menos de 45 anos apresentavam um índice bem mais baixo de divórcios do que os de outras categorias.[19]

---

18   Coontz, *Marriage, a History*, 284–85.
19   Ibid., 291.

A HISTÓRIA MODERNA

A Guerra das Mães

Como se não bastassem os terrores para as mulheres solteiras, os anos 1980 trouxeram ainda mais um ansioso conceito para as mulheres que continua vivo ainda hoje: a "Guerra das Mães". Ostensivamente travada entre as mães que ficam em casa e aquelas que trabalham fora, a "Guerra das Mães" expôs as descontinuidades da maternidade competitiva, revelando o sentimento de culpa onipresente dessas mães. Não importava quais escolhas eram feitas, parecia que os outros sempre estavam prontos a afirmar que estavam erradas.

Talvez a luta continue, porque os filhos que cresceram sem suas mães em casa quando chegavam da escola, nos anos 1980, agora querem algo diferente para suas próprias famílias. Enquanto eu escrevia este capítulo, uma de minhas amigas me contou sua experiência com pais que sempre estavam ocupados. Naquele tempo, seus pais acreditavam firmemente que estavam fazendo o que era certo, mas Joy foi deixada sozinha para "se virar" depois da escola desde os 12 anos. Infelizmente, aos 13 anos, ela foi seduzida por um menino mais velho que se aproveitou de sua solidão. A adolescência de Joy foi muito conturbada, cheia de rebeldia, decepção e dúvidas sobre si. Hoje, ela é casada, mãe de três filhos e uma cristã altamente compromissada com Cristo. Mas ainda se vê envolvida no conflito básico embutido na "Guerra das Mães":

mulher, cristã e bem-sucedida

Com o propósito de entender a minha situação, vamos assumir que eu aceite (que é meu caso) haver benefícios imensuráveis em ficar em casa com seus filhos — em ser sua principal disciplinadora, ajudadora, cuidadora, criadora do lar, influenciadora. Quero estar em casa com eles depois que voltam da escola, até a idade em que eles forem para a faculdade. Isso porque acredito firmemente que fiz a maior parte de minhas escolhas destrutivas no ensino médio por não ter tido supervisão adulta depois da escola, desde os meus 12 anos. Portanto, planejo estar aqui, e não tenho planos de mudar isso.
Mas aqui estou, há seis anos como uma mãe que fica em casa, e me vejo morrendo de vontade de trabalhar fora, de fazer algo que explore toda a minha capacidade mental. Luto com questões sobre chamado, dons e realização. Meu cérebro é incrivelmente ativo. Fui uma jovem empreendedora bem-sucedida antes de ser mãe. Sempre estou pensando em estratégias para ganhar dinheiro. Amo resolver problemas. Assim, desacelerar para funcionar no nível da criança pré-escolar tem sido a COISA MAIS DIFÍCIL que já tive de fazer em toda a minha vida. Todos os dias, luto contra o tédio. Sinto tanta dificuldade de brincar de faz de conta com eles que muitas vezes apelo para os vídeos (muito mais do que eu pretendia) ou para alguma atividade estruturada, como hora de colorir ou hora de brincar no quarto, mantendo-os ocupados, para que eu não seja forçada a "brincar" com eles — sou terrível

nisso. Falando sério, é como uma deficiência de aprendizado. Não consigo pensar no que dizer quando pedem para eu fazer de conta que sou um urso ou um elefante com eles. Tento, mas congelo — bocejo, minha mente corre para trinta coisas diferentes que eu podia estar fazendo (tenho de redigir aquele e-mail, planejar aquela refeição, aquele orçamento da família para atualizar...). Não consigo focar na brincadeira. Outras mães confirmam que têm essa mesma atitude na hora de brincar, mas eu acho que, de alguma forma, sou pior que elas. Algumas outras mães parecem mais interessadas nas coisas da infância do que eu — como as minhas amigas que escolheram fazer educação domiciliar. Mas eu me sinto adulta até o âmago de meu ser — e não sei mais como ser criança.

De qualquer forma, isso resulta no constante sentimento de culpa que tenho em minha maternidade. Eu deveria me sentir realizada nessa área, mas não estou. Deveria ter prazer em brincar com meus filhos, mas não tenho. Não tenho o "dom" de brincar o tempo todo com criancinhas. Daí, faço o melhor que posso e os abraço e tento jogar, eventualmente, um jogo de mesa, mas me sinto um fracasso.

A vida com crianças pequenas é tão aleatória e cheia de interrupções que é difícil manter a vida doméstica e os horários perfeitamente organizados. Desconheço qualquer mãe que consiga fazer isso — será que posso ter alguma esperança de ser boa nisso? O que a Bíblia diz sobre as mães que são chamadas a trabalhar com suas habilidades visando ao lucro? Será possível algumas esposas e mães, como eu, serem chamadas para trabalhar mais do que outras? Será que é pecado as mães quererem trabalhar nas coisas de que "gostam" mais do que ficar focadas no lar?

As mulheres de gerações antigas ficariam surpresas com a ideia de Joy de que o papel da mãe seja o de brincar o tempo todo com os filhinhos. Ao longo do tempo, a maioria das culturas via os filhos como um acréscimo à produtividade da família. O trabalho de gerir um lar era de intenso labor, e não se esperavam horas de diversão, conceito que examinaremos nos capítulos que se seguem.

Mas as questões levantadas por Joy são válidas. Por mais que, supostamente, tenhamos avançado no feminismo, o comentário de Joy soa muito semelhante ao das mulheres entrevistadas cinquenta anos atrás por Betty Friedan: "Isso é tudo?". Talvez não estejamos vendo as coisas sob a perspectiva correta. Talvez sejamos muito mais moldadas pela história recente do que percebemos.

O Fim dos Homens?

Com certeza, essa é a hora de sermos claros quanto à produtividade das mulheres, pois estamos no auge de outra profunda mudança cultural: cada vez mais mães jovens estão se formando nas universidades e conseguindo mais empregos do que seus parceiros do sexo masculino. O ponto de virada chegou em 2010 e foi alardeado em um artigo bastante lido na revista *Atlantic*, intitulado "O fim dos homens":

> No começo deste ano, pela primeira vez na história americana, o equilíbrio da força de trabalho se inclinou para as mulheres, que hoje têm a maioria dos empregos do país. A classe operária, que há muito define nossas noções do que é masculinidade, aos poucos está se tornando um matriarcado, com os homens cada vez mais ausentes do lar e as mulheres tomando todas as decisões. As mulheres dominam as faculdades e as escolas profissionais da atualidade — para cada dois homens que receberão seus bacharelados este ano, três mulheres os receberão. Das 15 categorias de trabalho projetadas para maior crescimento na próxima década, nos Estados Unidos, todas, à exceção de duas, são preenchidas principalmente por mulheres.[20]

Essa mudança apresenta profunda implicação para o futuro da família americana. Conquanto seja bom que tenham acabado a discriminação contra as mulheres e a desigualdade das leis, não é bom marginalizar os homens. Nenhuma sociedade se beneficiará lançando as mulheres contra os ho-

---
20 Hanna Rosin, "The End of Men", *The Atlantic*, jul.-ago. 2010.

mens. Temos de desenvolver soluções melhores.

Exige muita sabedoria navegar em tempos como estes. Felizmente, a Bíblia promete que essa sabedoria será dada àqueles que pedirem: "Se, porém, algum de vós necessita de sabedoria, peça-a a Deus, que a todos dá liberalmente e nada lhes impropera; e ser-lhe-á concedida (Tiago 1.5). Mas a sabedoria nos é dada para que nossas vidas apontem para a glória de Deus, e não para nós mesmos. "Portanto, vede prudentemente como andais, não como néscios, e sim como sábios, remindo o tempo, porque os dias são maus" (Efésios 5.15–16).

Mais adiante neste livro, vamos olhar para a sabedoria bíblica em relação à natureza do trabalho e examinar a aplicação dessa sabedoria no ciclo de vida do trabalho. Em seguida, veremos a história da produtividade das mulheres desde a Reforma até a Revolução Industrial, período no qual os conceitos bíblicos de trabalho e vocação mudaram o mundo ocidental.

03 {a história subjacente

O relacionamento que alterou completamente a visão do mundo ocidental quanto a casamento, domesticidade e produtividade feminina começou, de fato, com dois votos de castidade.

Em meio à inquietação do século XVI, um monge e uma freira entraram na fase adulta esperando viver totalmente enclausurados e na pobreza. Katharina (Kate) von Bora entrou no convento aos 5 anos e foi freira por vinte anos, até ouvir os ensinamentos de Martinho Lutero sobre casamento e família de modo bíblico. Convencida pelos escritos de Martinho, Kate o contatou secretamente, pedindo que ele a ajudasse a fugir. Martinho arranjou uma ousada fuga com a

mulher, cristã e bem-sucedida

ajuda de um mercador que entregava arenque — ele descarregou os peixes e foi embora com 12 freiras em seus tonéis de peixe.

Martinho conseguiu, para cada uma das freiras, casamentos ou a volta para suas famílias de origem, até restar apenas Kate. Ela deixou que soubessem que havia apenas dois homens que ela aceitaria como marido: o próprio Martinho Lutero ou seu colega, Nikolaus von Amsdorf.

Embora Martinho tivesse escrito muito sobre o casamento cristão, enaltecendo-o, ainda permanecia solteiro, por causa da oposição que enfrentava em seus ensinamentos. Desafiado a praticar aquilo que pregava sobre casamento, Martinho disse que continuava solteiro, "não porque eu seja um tronco ou uma pedra sem sexo, mas porque, a cada dia, espero morrer como herege".[1] Porém, aos 41 anos, resolveu casar-se com Kate, porque seu casamento "agradaria seu pai, irritaria o papa, faria os anjos rirem e os demônios chorarem".[2]

O primeiro desafio que o novo casal enfrentou era como se sustentar. Ex-freira, Kate, não tinha um centavo sequer, tampouco dote. Martinho também não tinha renda certa, porque a universidade na qual ensinava muitas vezes retia seu pagamento. A única renda da qual poderia depender era a que vinha do Claustro Negro, antigo monastério que fora

---

1 Rudolf K. Markwald e Marilynn Morris Markwald, *Katharina von Bora: A Reformation Life* (St. Louis: Concordia Publishing House, 2002), 63.
2 Ibid., 70.

dado ao casal Luther como presente de casamento. Dependia da nova noiva de Martinho transformar o monastério, que estava caindo aos pedaços, em um lar autossustentável. E ela se superou na tarefa, de acordo com uma biografia:

> Fora da cama às quatro da manhã, ela se tornou conhecida como "Käthe von Bora, a Estrela da Manhã de Wittenberg". Kate estava em boas condições físicas e, frequentemente, trabalhava até as nove da noite. Muitas vezes Lutero tinha de insistir com ela para descansar. A primeira preocupação de Kate eram as paredes em mau estado do antigo monastério. Aplicando grande quantidade de cal, deixou todas as paredes brancas. Com a ajuda de uma serva, então, limpou os cômodos e pôs em ordem o jardim e a horta. Lutero foi inspirado pelas atividades de Kate. Expressou seu prazer dizendo: "Minha esposa pode me persuadir quanto ela quiser; ela tem todo o domínio em suas mãos e eu me entrego a ela".
> Cuidadosa e hábil administradora, Kate usou todos os seus talentos para tornar o lar de Lutero autossustentável. Logo o Claustro Negro ficou conhecido como *Lutherhaus*. Kate tornou-se jardineira, pescadora, fazedora de cerveja, produtora de frutas, criadora de gado e cavalos, cozinheira, apicultora, provedora, enfermeira e viticultora. Mantinha sempre em mãos um amplo suprimento de legumes e flores que Lutero amava. Trutas, pescados e corvinas sempre estavam sobre a sua mesa, e as bebidas sempre apareciam

para seu marido e os hóspedes sedentos. Peras, maçãs, pêssegos, uvas e nozes eram cultivados, e Kate tratava com zelo de seus frangos, gansos, porcos, vacas e cavalos para trabalho e montaria. Juntava ampla sorte de mantimentos para salgar, para os meses de inverno, quando não haveria comida fresca.

O incentivo para a determinação de Kate de colocar ordem na *Lutherhaus* e torná-la autossustentável era a chegada constante de hóspedes, que vinham de todas as partes do mundo. Acadêmicos desalojados, estudantes, refugiados, freiras e frades fugitivos, bem como diversos membros da família de Lutero, todos encontravam o caminho até Wittenberg. Assim, a residência de Lutero tornou-se um hotel.[3]

Martinho encorajava a produtividade de sua esposa. Kate era melhor administradora das finanças e, depois de ter gastado demais durante muitos anos, Martinho concordou em depender da sagacidade de sua esposa nos negócios. Ela reconheceu a oportunidade de suplementar a renda cobrando o quarto e a comida dos hóspedes, que vinham assistir às famosas conversas à mesa na *Lutherhaus*. Ela não era conhecida apenas por sua hospitalidade; a mesa que ela servia também se tornou um lugar importante, no qual as ideias eram compartilhadas e disseminadas. Como nota seu biógrafo: "A mesa de Lutero foi um dos melhores sistemas

---

3 Ibid., 81–82.

A HISTÓRIA SUBJACENTE

de obtenção de notícias na face da terra... As notícias de todo o continente passavam pelo funil da *Lutherhaus*".[4] Visitantes regulares e escribas compilaram aproximadamente seis mil menções nos documentos de *Conversas à Mesa*, deixando-nos com uma boa ideia de quanto trabalho Kate fazia e quantas ideias estavam sendo reformuladas nesse período.[5]

O casamento de Martinho e Kate também foi um ponto de transformação na história ocidental. Como notou um historiador:

> Poucas pessoas tiveram maior influência sobre a instituição do casamento do que o monge agostiniano Martinho Lutero... a aceitação, por parte de Lutero, dos filhos como o cerne de sua vida renovada fala de uma das mais dramáticas mudanças da Reforma. Dali em diante, o lar do pastor, com uma esposa a gerenciá-lo e filhos por perto, ofereceria um novo modelo para os casais protestantes em todo o mundo.[6]

No começo de suas vidas, poucas pessoas teriam esperado tamanho legado de um monge e uma freira. Mas a influência se estendeu para além do casamento. E também alterou nosso conceito sobre trabalho.

---

4   Ibid., 129.
5   Ibid., 130.
6   Marilyn Yalom, *A History of the Wife* (New York: Harper Collins Publishers, 2001), 98, 105.

A Doutrina da Vocação

A "Doutrina da Vocação" foi uma das maiores contribuições de Martinho Lutero, tanto para a igreja como para a cultura em geral. Para Lutero, a vocação é muito mais do que aquilo que fazemos para sobreviver. É, como escreve Gene Edward Veith, a teologia da vida cristã:

> Ela resolve o problema muito controverso do relacionamento entre fé e obras, Cristo e cultura, como os cristãos devem viver neste mundo... De acordo com Lutero, a vocação é uma "máscara de Deus". Ele está escondido na vocação. Vemos a moça que tira leite, o lavrador, o médico, ou o pastor, ou o artista. Mas, por trás dessa máscara humana, Deus está verdadeiramente presente e ativo naquilo que eles fazem por nós. Quando oramos a Oração do Senhor, pedimos que Deus nos dê hoje o pão de cada dia. E ele dá. O jeito como ele nos dá o pão de cada dia é por meio das vocações de lavradores, moleiros e padeiros. Poderíamos acrescentar motoristas de caminhão, trabalhadores nas fábricas, banqueiros, atendentes de armazéns e a moça do caixa. Literalmente, toda etapa de nosso sistema econômico contribui para esse pedaço de torrada que você comeu no café da manhã. E, quando

A HISTÓRIA SUBJACENTE

você agradece a Deus pelo alimento provido, está certo em fazê-lo.[7]

No mundo monástico do início da vida de Lutero, a santidade e a salvação eram obtidas por "boas obras"— o que significava afastar-se do mundo pecador e assumir o celibato, a pobreza e a prática diária de exercícios espirituais específicos. Mas, conforme escreve Veith, Lutero negava o valor dessa prática: "Ele perguntava: A quem você está ajudando? As boas obras não devem ser feitas para Deus. Elas são feitas para ajudar o nosso próximo".[8]

Lutero entendia que vocação significava múltiplos âmbitos de serviço. O trabalho da família, segundo a visão de Lutero, não somente incluía o casamento e os filhos, como também o trabalho com que as casas se sustentavam. "Lutero tinha em mente o que se expressa na palavra grega *oikonomia*, que se refere ao 'gerenciamento e à regulamentação dos recursos da casa', termo do qual extraímos a palavra economia", escreve Veith. "Assim, o estado do lar inclui tanto a vocação da família como a vocação do local de trabalho."[9]

Talvez tenha sido o fato de observar sua esposa trabalhando que convenceu Martinho acerca desse conceito.

---

7 Gene Edward Veith, "Our Calling and God's Glory", *Modern Reformation*, Nov./Dec. 2007. Disponível em http://www.modernreformation.org/default.php?page=articledisplay&var1=ArtRead&var2=881.

8 Ibid.

9 Ibid.

mulher, cristã e bem-sucedida

Kate foi uma empreendedora precoce da clássica "ética de trabalho protestante", surgida nos ensinamentos de seu marido a respeito de vocação. Ao afirmar o trabalho diário de homens e mulheres fora da Igreja, Lutero inspirou homens e mulheres a, igualmente, se envolverem em comércio, desenvolverem suas empresas e trabalharem duro em benefício até mesmo de estranhos. Essa ideia inspirou o surgimento do capitalismo e os ganhos econômicos que se seguiriam em eras subsequentes.

Maternidade Republicana

Como Kate Luther, Sarah Edwards era muito trabalhadora. Vivia na América Colonial no início dos anos 1700, como esposa de Jonathan Edwards, um dos maiores teólogos e intelectuais da América. Habitada principalmente por cristãos protestantes, a América Colonial era uma clara amostra da ética de trabalho protestante. Sarah gerenciava a economia de sua casa tão bem que Jonathan conseguia concentrar-se em escrever e ensinar, tornando-se uma influência significativa no primeiro Grande Avivamento da América Colonial.

Conta a lenda que, um dia, Jonathan levantou os olhos do estudo em sua casa de Northampton, Massachusetts, e perguntou: "Já não seria hora de ceifar o feno?". E Sarah retrucou: "O feno já está no estábulo há duas

A HISTÓRIA SUBJACENTE

semanas".[10]

É improvável que Sarah tivesse cortado o feno sozinha, especialmente por estar ocupada com a criação de seus 11 filhos. Mas era ela quem gerenciava a propriedade que vinha junto com a posição de Jonathan como pastor: 10 alqueires de pasto, 40 alqueires de campo e 10 em uma colina, como também £300 para sua moradia e £100 por ano de salário, quantias que vinham dos impostos locais.[11] A terra teria de prover para o consumo deles próprios, como também dos numerosos hóspedes que sempre chegavam para usufruir da lendária hospitalidade de Sarah. Como a *Lutherhaus* antes deles, o lar dos Edwards atraía muitos jovens que desejavam aprender pessoalmente com Jonathan. De certa forma, esses hóspedes faziam parte do negócio da família, por assim dizer, mas sua presença exigia mais que apenas comida. Sarah tinha de fazer o sabão para a casa, as velas e a lã caseira para o vestuário e as roupas de cama. E ela fazia tudo isso tendo um marido preocupado que, com frequência, pulava as refeições, por estar profundamente imerso em seus estudos. A administração doméstica de Sarah permitia a seu marido passar 13 horas por dia em seu escritório[12] — criando um rico legado de ideias para a cultura de seu tempo e para os crentes que viriam depois dele.

---

10   Elizabeth D. Dodds, *Marriage to a Difficult Man* (Laurel, MS: Audubon Press, 2004), 36.
11   Ibid., 91.
12   Diana Lynn Severance, *Feminine Threads: Women in the Tapestry of Christian History* (Glasgow: Christian Focus, 2011), 224.

mulher, cristã e bem-sucedida

A família Edwards vivia como a maioria das famílias na América Colonial — trabalhando arduamente em uma grande diversidade de tarefas, mas nunca muito longe uns dos outros. Como a historiadora Nancy Pearcey destaca, os pais e as mães daquele tempo aliavam seu trabalho e a responsabilidade com a criação dos filhos às suas atividades cotidianas:

> Ser pai não era uma atividade separada para quem apenas chegasse em casa depois de um dia de trabalho; pelo contrário, era parte integral da rotina diária de um homem. Os documentos históricos revelam que a literatura colonial que tratava de pais e filhos — como sermões e manuais para a criação de filhos — não se dirigia principalmente às mães, como ocorre com a maioria, hoje em dia. Tipicamente, os escritos dirigiam-se aos homens como pais. O pai era considerado parte mais importante do casal, especialmente responsável pela área de treinamento religioso e intelectual.[13]

Naquele tempo, também não se pensava no lar como uma esfera separada da vida "real". O lar era a base econômica da comunidade local, e a comunidade local fluía para dentro e para fora do lar:

---

13 Nancy Pearcey, *Total Truth* (Wheaton, IL: Crossway Books, 2004), 328–29.

A HISTÓRIA SUBJACENTE

O trabalho não era feito por indivíduos solitários, mas por famílias ou "casas". A casa era uma unidade econômica autônoma que, com frequência, incluía membros da família mais extensa, aprendizes, servos e mão de obra contratada. Lojas, oficinas e ateliers ficavam numa sala na frente, e o lugar para a família viver ficava ou no andar de cima ou nos fundos. Isso fazia com que o limite entre o lar e o mundo fosse altamente permeável: o "mundo" era continuamente centrado em forma de clientes, colegas de negócios, fregueses e aprendizes.[14]

Conquanto boa parte do trabalho na América Colonial fosse focada meramente na sobrevivência, até o período da Revolução Americana, as escolhas de consumo que essas mulheres faziam assumiram implicações políticas. Em protesto à imposição de impostos sem a devida representação, elas boicotaram itens como chá e tecidos da Inglaterra. E essa não era, nem de longe, uma decisão leviana. Sem o tecido britânico, as mulheres americanas tiveram de voltar a fiar e tecer seus próprios tecidos — talentos que tinham caído em desuso, de acordo com a autora de *Revolutionary Mothers*:

"Tecidos de sua própria fabricação e fiação", chamados *homespun* (fiado no lar), rapidamente tornaram-se sinal de honra e declaração políti-

---
14 Ibid., 327.

ca visível... instigadas pela imprensa, por pastores e pela liderança na Colônia a considerar os deveres e as tarefas domésticas armas políticas, essas mulheres começaram a se ver, pela primeira vez, como agentes do cenário político.[15]

Com a fundação dos Estados Unidos da América, o restante do mundo passou a olhar para essa nação incipiente com seus valores democráticos, indagando se conseguiria ter sucesso. O mesmo acontecia com muitos dos pais fundadores. Na verdade, não demorou muito para os líderes políticos perceberem que, se esse grande experimento político fosse dar certo, teriam necessidade de uma nova geração de cidadãos com desenvolvido espírito público. Assim, as mães americanas eram chamadas a assumir o importante encargo de treinar a próxima geração de americanos. Isso foi chamado de "Maternidade Republicana". Não a espécie atual de "Estados vermelhos/Estados azuis" dos partidos republicano e democrata, mas o ato de assumir totalmente a importância de mães bem-educadas (cultas) treinarem futuros cidadãos para a nova República dos Estados Unidos. O resultado foi que a alfabetização feminina aumentou de modo significativo após a fundação da nação.[16]

---

15 Carol Berkin, *Revolutionary Mothers* (New York: Vintage Books, 2005), 17.
16 Jack Lynch, "Every Man Able to Read", *Colonial Williamsburg Journal*, Inverno de 2011. Disponível em http://www.history.org/foundation/journal/winter11/literacy.cfm.

A HISTÓRIA SUBJACENTE

A Revolução Industrial

Enquanto as colônias lutavam na Revolução Americana, a Grã-Bretanha estava nas lutas da Revolução Industrial. Levou um pouco mais de tempo para essa revolução chegar aos Estados Unidos. Com frequência, os historiadores marcam o início da Revolução Industrial norte-americana com a fundação da primeira fábrica industrial de tecidos, aberta em 1790, no estado de Rhode Island. Mas, quando chegou, a Revolução Industrial transformou profundamente a vida das famílias americanas.

Pela primeira vez na história, o trabalho passou a ser realizado em massa fora do lar ou do negócio da família. À medida que mais homens eram contratados para trabalhar nas fábricas e nos escritórios, estimulados a ser competitivos no mundo da manufatura e do empreendedorismo, as mulheres, em contrapartida, promoviam o "abrigo do lar". Foi nesse momento que surgiu a ideia de "esferas separadas", designando as mulheres para a esfera doméstica e o cultivo das virtudes privadas e públicas, e os homens à esfera pública, na condição de provedores. Assim, enquanto o local de trabalho se tornava cada vez mais mecanizado e impessoal, o lar tornava-se foco para as qualidades intangíveis que melhoravam a sociedade. Esse período, abrangendo, em linhas gerais, de 1830 a 1850, ficou conhecido como a Era Dourada da Domesticidade.

mulher, cristã e bem-sucedida

Esse ideal dominou as revistas e os livros voltados a mulheres naquela época, mas só era alcançado pelas mulheres abastadas de classe superior. No caso das mulheres de status econômico inferior, a Revolução Industrial atraiu muitas moças das fazendas ou pequenas empreendedoras familiares para serem trabalhadoras assalariadas em fábricas ou usinas, oferecendo-lhes uma forma de independência antes desconhecida.

Em 1826, quando estava despontando a Era Dourada da Domesticidade, milhares de moças do interior da Nova Inglaterra foram recrutadas para operar as máquinas de tecelagem da nova cidade de Lowell, Massachusetts. Lowell foi criada em 1826 por um grupo de capitalistas de Boston que comprou as fazendas ao longo do rio Merrimack para impulsionar as fábricas. Em menos de vinte anos, as tecelagens de Lowell empregaram quase oito mil mulheres na faixa etária de 16 a 35 anos. As Meninas da Tecelagem de Lowell, como passaram a ser chamadas, trabalhavam muito, uma média de mais de setenta horas por semana.

Era um trabalho muito lucrativo, o que estimulou a construção de mais fábricas. Infelizmente, essa rápida expansão levou a superprodução e preços deflacionados, e, assim, a salários mais baixos para as trabalhadoras. Passaram-se apenas dez anos para as Meninas de Lowell Mill serem as primeiras pessoas a organizar uma greve. Harriet Hanson Robinson foi uma dessas Meninas da Fábrica de Lowell; ela começara a trabalhar ali aos 10 anos. Em suas memórias, descreveu a greve de 1836:

> Uma das primeiras greves de operárias das indústrias de tecido de algodão ocorridas neste país foi a de Lowell, em outubro de 1836. Quando foi anunciado que os salários seriam diminuídos, houve grande indignação, e tomou-se a decisão de fazer uma greve geral de todos, o que aconteceu. As fábricas foram fechadas e as meninas saíram em cortejo, de suas diversas corporações, até o "bosque" de Chapel Hill, e ouviram discursos "incendiários" da parte dos primeiros reformadores trabalhistas.
>
> Uma das moças ficou de pé sobre uma bomba d'água e deu vazão aos sentimentos de suas companheiras em um discurso bem-feito, declarando ser seu dever resistir a todas as tentativas de redução dos salários. Essa foi a primeira vez que uma mulher falou em público em Lowell, e o acontecimento causou surpresa e abalo entre suas ouvintes.
>
> Não é preciso dizer que, quanto aos resultados, essa greve não conseguiu nenhum benefício. A insatisfação das operárias diminuiu ou apagou-se por si mesma e, embora as autoridades não tivessem concordado com as suas exigências, a maioria voltou para seus trabalhos, e a companhia continuou abaixando os salários.[17]

---

17 Harriet Hanson Robinson, *Loom and Spindle or Life Among the Early Mill Girls* (New York: T. Y. Crowell, 1898), 83–86, como postado em http://history matters.gmu.edu/d/5714/.

mulher, cristã e bem-sucedida

Segundo os padrões trabalhistas atuais, as condições nas fábricas eram demasiadamente severas, mas o atrativo de trabalhar ali estava na oportunidade de melhorar as próprias condições. Lowell oferecia oportunidades de mais estudos por meio de cursos e palestras públicas, como também com seus círculos literários informais. Porém, essas oportunidades diminuíram à medida que os salários foram reduzidos e o ritmo do trabalho dentro das fábricas acelerava. Em 1845, depois de numerosos protestos e greves, muitas trabalhadoras se juntaram para formar a primeira união de mulheres trabalhadoras dos Estados Unidos, a Lowell Female Labor Reform Association (Associação para a Reforma Trabalhista Feminina de Lowell).

"Em uma era em que as mulheres tinham de vencer a oposição para simplesmente trabalhar nas tecelagens, é surpreendente o fato de que ainda dessem um passo além dos limites aceitáveis para a classe média do que era correto para as mulheres, participando de um protesto público", escreveu um historiador. "As experiências das mulheres de Lowell anteriores a 1850 apresentam um retrato fascinante do impacto contraditório do capitalismo industrial... As fábricas de Lowell exploraram, como também libertaram, as mulheres de maneiras antes desconhecidas na economia política pré-industrial."[18]

---

18 Thomas Dublin, "Women, Work and Protest in the Early Lowell Mills", *Labor History* (United Kingdom: Carfax Publishing, 1975), 99–116. Ver http://invention.smithsonian.org/centerpieces/whole_cloth/u2ei/u2materials/dublin.html.

A HISTÓRIA SUBJACENTE

Ideais Fervorosos, Novas Oportunidades

As Meninas das Fábricas de Lowell formularam seus argumentos para a Reforma no espírito da Revolução Americana. Isso foi típico do século XIX. Era um tempo de ideais fervorosos nas esferas política, cultural e espiritual — ideais que deram forma ao modo como as mulheres trabalhavam dentro e fora do lar.

O século começou quando o Segundo Grande Despertamento (1790-1840) tomou conta da nação, atraindo mais mulheres do que homens. Estima-se que havia pelo menos três mulheres para cada dois homens convertidos nesses avivamentos.[19] Esse despertamento inspirou o primeiro movimento missionário americano, criando uma nova ocupação para as mulheres — a de missionárias. Em 1810, o American Board of Commissioners for Foreign Missions (Comitê Americano de Comissionados para Missões Estrangeiras, o ABCFM na sigla em inglês) foi formado, tornando-se a principal sociedade missionária nos Estados Unidos. Em 1812, a ABCFM enviou seus primeiros missionários para a Índia Britânica, um grupo de homens e mulheres que incluía Adoniram e Ann Judson. Menos de dez anos depois, a organização missionária comissionou Ellen Stetson, a

---

19   Nancy F. Cott, "Young Women in the Second Great Awakening in New England", *Feminist Studies*, v. 3, n. 1/2 (Outono de 1975), 15.

primeira missionária feminina solteira, e Betsey Stockton, a primeira missionária afro-americana.[20]

Tendo a autoridade moral da dona de casa derivado da Era Dourada da Domesticidade, as mulheres utilizavam seus dons literários para transformar a sociedade. Harriet Beecher Stowe é um dos melhores exemplos, ao desafiar a nação com sua visão antiescravagista, com a publicação, em 1852, de *A Cabana do Pai Tomás*. Filha de pastor, ela "vivia na berlinda da gentil pobreza" e escreveu a primeira obra-prima de realismo americano, um feito notável, conforme diz a historiadora Glenna Matthews:

> Primeiro, os romancistas americanos tinham permanecido — quase todos — calados quanto ao assunto da escravidão até 1851. Segundo, apesar de as mulheres escritoras estarem entrando em um vasto mercado com o romance doméstico, poucas havia que escrevessem sobre questões públicas para um auditório geral... Finalmente, Stowe, embora membro de uma família muito influente, não tinha razão para pensar que estivesse destinada a um papel público. Sua vida tinha sido difícil... porque seu marido, Calvin, nunca conseguira prover mais que as necessidades básicas da família, e os escritos de Stowe não propor

---

20 Charles A. Maxfield, "The Formation and Early History of the American Board of Commissioners for Foreign Missions", como apresentado no "Union Theological Seminary for Dissertation" em 1995. Ver http://www.maxfield books.com/ABCFM.html.

A HISTÓRIA SUBJACENTE

cionavam renda suficiente para complementar o que faltava.[21]

Seus escritos e sua forte mensagem cristã foram inicialmente impressos em série no jornal *National Era* e, somente mais tarde, foram publicados em forma de livro, por volta de 1852. Menos de um ano mais tarde, mais de 300 mil cópias já haviam sido vendidas, e a consciência da nação estava dividida quanto à escravidão. Durante a Guerra Civil, quando Abraham Lincoln finalmente conheceu Harriet, dizem que ele falou: "Então, você é a pequena mulherzinha que começou essa grande guerra".[22]

Nesse período, havia diversas "mulherzinhas" cujos ideais fervorosos mudaram a sociedade ao redor delas, criando novas oportunidades de trabalho para as mulheres. Dorothea Dix fazia cruzadas na década de 1840 por reformas na saúde mental, lutando pela primeira geração de asilos mentais norte-americanos. (Embora, atualmente, pensemos de maneira diferente quanto aos asilos, nos tempos de Dorothea, os pobres que sofriam de doenças mentais eram confinados como animais engaiolados ou de forma ainda pior.) Seu trabalho entre pacientes psiquiátricos levou-a a ser nomeada superintendente de Enfermagem do Exército durante a Guerra Civil.

---

21 Matthews, *"Just a Housewife"*, 49, 51.
22 Severance, *Feminine Threads*, 270–71.

mulher, cristã e bem-sucedida

Florence Nightingale recebe os créditos por ter revolucionado a enfermagem no mundo inteiro, estabelecendo os padrões para cuidados e treinamento profissional em um campo que, em sua maior parte, era visto como uma profissão de baixa reputação. Até Nightingale organizar hospitais de campo durante a Guerra da Crimeia (1853-1856), nenhuma mulher havia servido como enfermeira na frente de batalha. Clara Barton seguiu seu exemplo na Guerra Civil e, posteriormente, fundou a Cruz Vermelha Americana. Em uma era na qual o termo "médica feminina" significava abortista, Elizabeth Blackwell tornou-se a primeira mulher americana a se formar na faculdade de medicina. Frequentou o Geneva College em Nova York depois de ter sido rejeitada por todas as principais faculdades de medicina da nação devido a seu sexo. Mais tarde, ela fundou uma escola de medicina para mulheres, a fim de treinar outras médicas.

As mulheres também serviam à Igreja com seu trabalho. Uma das escritoras mais prolixas do século XIX foi a compositora de hinos Fanny Crosby. Ela escreveu mais de oito mil hinos e poemas religiosos, mesmo sendo cega desde a infância. A certa altura, ela era contratada para escrever três hinos por semana, mas conseguia produzir seis ou sete hinos em um dia. Seu trabalho também influenciou o alcance que teve; ela lecionou por 23 anos na Escola para Cegos de Nova York, vivendo em imóveis de aluguel em Nova York para ministrar aos pobres. Fanny mantinha uma agenda bastante cheia, mesmo na casa de seus 80 anos. Enquanto a

A HISTÓRIA SUBJACENTE

Revolução Industrial continuava a dar nova forma à vida de trabalho das mulheres, um ministro britânico, o Reverendo John Angell James, escreveu um guia para a piedade feminina nesse período e reconheceu a realidade daquelas que trabalhavam fora do lar:

> Vocês jamais deverão permitir-se imaginar que haja algo de desonroso ou degradante por vocês serem forçadas a sair de seus lares para se sustentar, como governantas, atendentes de loja ou servas. Aquelas que já estiveram em circunstâncias melhores são, claro, mais propensas a pensar assim... Mas a indústria é, de longe, mais honrosa do que a indolência abastada. Aquela que voluntariamente, honestamente e com alegria ganha seu próprio sustento quando a Providência a tem desprovido de patrimônio é, de longe, mais admirável do que se tivesse rolado pela vida sob a abundância de seu pai, e cercada de todo luxo.[23]

Pontos de virada

Os ideais fervorosos que criaram tanto otimismo na primeira parte do século XIX foram desafiados por dois reveses que chegaram até perto de meados do século. O primeiro foi a publicação, em 1859, da teoria da evolução de Charles Darwin, que influenciou as ideias do darwinismo social.

---

23 John Angell James, *Female Piety: A Young Woman's Friend and Guide* (Morgan, PA: Soli Deo Gloria Publications, 1999), 175.

mulher, cristã e bem-sucedida

O segundo foi a Guerra Civil Americana (1861–1865) e a emancipação dos antigos escravos, que se seguiu.

O darwinismo social reverteu o status do lar como centro moral da cultura, posição à qual havia sido promovido nas décadas anteriores. Conforme escreve a historiadora Nancy Pearcey: "O darwinismo social teve por alvo diretamente o lar, ao exaltar como sede do progresso evolutivo a esfera pública". E acrescenta:

> A começar pela suposição de que homens são superiores às mulheres, darwinistas sociais como Herbert Spencer procuravam explicar por que os homens haviam evoluído mais rapidamente. Propunham que, desde o seu início bruto, os machos lutavam pela sobrevivência no mundo e, assim, estavam mais sujeitos à seleção natural, um processo que retira os fracos e inferiores. As mulheres em suas casas, cuidando dos pequenos, eram um alvo inatingível para a seleção natural; daí elas evoluíam mais vagarosamente. É significativo o desprezo que os darwinistas sociais expressam tanto pelo caráter como pelo ambiente das mulheres (ou seja, o lar). A vida no lar era denunciada como um entrave ao desenvolvimento evolutivo.[24]

---

24 Nancy Pearcey, "Is Love Enough? Recreating the Economic Base of the Family", *The Family in America*, janeiro de 1990, v. 4, n. I. Disponível em http://www.leaderu.com/orgs/arn/pearcey/np_familyinamerica.htm.

A HISTÓRIA SUBJACENTE

A esfera doméstica também havia sofrido um golpe porque as mulheres solteiras perceberam as limitações que teriam caso se casassem. Por volta de 1860, quando a Era Dourada da Domesticidade chegava ao fim, as mulheres solteiras que trabalhavam representavam um quarto do total da força de trabalho nos Estados Unidos.[25] Sob o conceito legal de *coverture* (cobertura), caso se casassem, as mulheres adultas não eram legalmente entidades independentes. As mulheres eram integradas à identidade de seus maridos. Não lhes era permitido ter propriedades, assinar contratos ou ganhar seus próprios salários — quaisquer pagamentos de salário tinham de ser entregues a seus maridos. Essa foi uma era de "bênção para quem era solteira", pois, com frequência, escolhiam suas causas acima da instituição do casamento existente sob essa lei de *cobertura*. Embora essas leis tenham mudado gradualmente na segunda metade do século XIX, desde os anos 1870 até por volta de 1913, o índice de casamentos entre as mulheres cultas caiu para 60% (em comparação aos 90% da população em geral).[26] Porém, a escolha pessoal não foi a única razão para o número crescente de mulheres não casadas. A Guerra Civil também produziu acentuado desequilíbrio entre os gêneros, pois mais de 600 mil homens morreram na guerra, a maioria do

---

25   Betsy Israel, *Bachelor Girl: The Secret History of Single Women in the Twentieth Century* (New York: William Morrow, 2002), 57.
26   Ibid., 30.

Sul, o que levou multidões de mulheres sem maridos a buscarem trabalho.

A emancipação das mulheres anteriormente escravizadas foi mais uma mudança drástica em meados do século XIX, esvaziando do Sul os trabalhadores não remunerados de seus campos de algodão e de seus lares, provendo o Norte com o trabalho barato e bastante necessário para suas fábricas. Conquistada a liberdade para as pessoas escravizadas e vencida a guerra que dominava o pensamento estratégico daquele tempo, houve pouco planejamento quanto ao que aconteceria depois. Conforme um historiador escreveu: "Pouco ou nada se pensava no que aconteceria às pessoas negras com a emancipação. Perguntas como *para onde elas iriam, o que comeriam, como trabalhariam* e, acima de tudo, *como sobreviveriam* depois da Guerra não foram feitas, nem por formadores de políticas de Washington, nem pela maioria dos generais de campo".[27]

Tais questões — e a campanha para o sufrágio (o direito ao voto) feminino — moldaram a segunda metade do século XIX. No espírito de Maternidade Republicana, a educação pública tornou-se compulsória nos anos 1860. Faculdades de ensino superior para mulheres também foram estabelecidas: Vassar (1861), Wellesley (1870), Smith (1871) e Bryn Mawr (1885), entre outras. Entre 1890 e 1910, o número de

---

27 Jim Downs, "Dying for Freedom", *The New York Times*, 5 jan. 2013. Disponível em http://opinionator.blogs.nytimes.com/2013/01/05/dying-for-freedom.

A HISTÓRIA SUBJACENTE

mulheres frequentando o ensino superior triplicou.[28] À medida que a cultura ia se tornando cada vez mais importante, passou-se à criação de novos empregos para as mulheres; até 1910, 98% dos docentes no sistema escolar público eram compostos por mulheres.[29]

Mulheres cristãs estavam igualmente compromissadas com a causa da educação, porém por razões mais espirituais. Nos trinta anos que se seguiram ao início da Guerra Civil, as mulheres estabeleceram as sociedades missionárias estrangeiras e nacionais. As mulheres foram as primeiras a organizar escolas de treinamento missionário, que os estudantes frequentavam por um ou dois anos, para aprender Bíblia, a História das Missões e elementos práticos de reforma urbana. Por volta de 1909, as comissões missionárias das mulheres tinham "6 mil mestras da Bíblia e colaboradoras nativas, como também oitocentas professoras, 140 médicas, 79 enfermeiras e 380 evangelistas" no campo missionário de uma só vez. Uma década mais tarde, havia três milhões de mulheres trabalhando nas sociedades missionárias — número que, de longe, supera todos os demais tipos de organizações femininas.[30]

Mas o industrioso otimismo do século XIX não duraria.

---

28 Coontz, *Marriage, a History*, 192.
29 Israel, *Bachelor Girl*, 97.
30 Severance, *Feminine Threads*, 287.

Um Novo Século

Com a publicação, em 1899, do livro *Theory of the Leisure Class*, o economista Thorstein Veblen imprimiu o tom do novo século. Ele inventou o termo "consumo conspícuo", dizendo que a falta de emprego remunerado para a esposa de classe média era sinal do status social de seu marido. Nessa nova era de consumismo, as mulheres casadas eram tidas como consumidoras que comprariam os itens que exibissem o status financeiro da família.[31]

Na época dos Loucos Anos Vinte, a maioria dos filhos americanos vivia nas famílias em que o esposo era o principal mantenedor, a esposa não estava empregada em tempo integral fora do lar ou na empresa da família e os filhos se encontravam estudando, e não no trabalho. Esse era um modelo novo para as famílias americanas. Uma razão para isso era que as famílias tinham dinheiro para bancar essa estrutura — os salários dos homens haviam subido vertiginosamente na prosperidade sem precedentes dos anos 1920. Outra razão foi que a segregação dos empregos e a discriminação contra as mulheres que trabalhavam *aumentaram* nas primeiras quatro décadas do século XX.[32]

Vieram, então, a quebra no Mercado de Ações e a Grande Depressão dos anos 1930. A crise econômica era arrasadora

---

31 Yalom, *A History of the Wife*, 288–89.
32 Coontz, *Marriage, a History*, 209.

A HISTÓRIA SUBJACENTE

por toda a América do Norte e a Europa. Desesperadas, as mulheres casadas aceitavam qualquer emprego que conseguissem. Embora menos de 6% das esposas americanas trabalhassem fora de casa em 1900, em meados de 1930 esse número havia mais que dobrado. Casadas ou solteiras, contudo, as mulheres enfrentavam grande hostilidade se conseguissem manter os empregos no período da Depressão. Tanta gente estava lutando para sobreviver financeiramente que a mulher que trabalhava era vista como alguém que estava roubando o emprego de um homem, solapando sua capacidade de prover a própria família. Essa atitude foi tão prevalente que, em 1932, o Ato de Economia dos Estados Unidos passou a proibir o governo federal de contratar duas pessoas de uma mesma família e 26 estados tinham aprovado leis que proibiam as mulheres casadas de ter qualquer emprego, incluindo na área de ensino.[33]

Na década seguinte, tudo voltou como um bumerangue. Conforme vimos no capítulo anterior, com o começo da Segunda Guerra Mundial, as mulheres voltaram a ser favorecidas quando o Gabinete de Informações de Guerra distribuía propagandas sobre mulheres trabalhadoras. Pela primeira vez na história dos Estados Unidos, havia mais mulheres casadas do que solteiras na força de trabalho.[34]

---

33 Israel, *Bachelor Girl*, 151.
34 Coontz, *Marriage, a History*, 320.

mulher, cristã e bem-sucedida

Um Lugar de Consumo

Sem dúvida, Kate Luther e Sarah Edwards teriam dificuldade para entender a família fracionada como hoje se encontra, cada um na casa puxando em direção oposta. Embora essas mulheres trabalhassem muito, suas tarefas diárias eram intimamente alinhadas às de seus maridos e filhos. O horário frenético da família atual pareceria bem estranho a elas.

A Revolução Industrial produziu imensas fortunas e criou uma grande classe média de profissionais prósperos que nunca antes existira. Mas também dividiu a vida diária de homens e mulheres, causando impacto negativo sobre a influência do lar, espaço no qual as mulheres, tradicionalmente, haviam sido economicamente produtivas.

Quando o lar americano passou a ser o lugar propício a exibir o consumismo, isso alterou séculos de produtividade e numerosos desafios foram introduzidos. Primeiro, o lar deixou de ser o espaço que gerava renda. Embora fosse um bom sinal que novas profissões se abrissem para as mulheres fora do lar, agora elas teriam de entender como criar uma família e prover para si mesmas enquanto trabalhavam em diferentes locais.

Segundo, no processo de diminuir o valor da domesticidade, a cultura deixa de validar o significado do trabalho realizado dentro do lar para cuidar de outras pessoas. A esfera privada continua a ser o lugar em que o trabalho não remunerado tem mérito eterno. Ao aceitarem a cultura do consumismo, os lares se tornaram monumento ao estilo e ao bom gosto pessoal, em vez de locais de serviço ao próximo. Nos dias atuais, a "nova domesticidade", popularizada em blogs e sites da mídia social, é extremamente comum; ela traz consigo as mesmas aspirações de produtividade idealizadas naquelas propagandas de papel brilhante de revista dos anos 1950. Ela vende um estilo de vida.

Ora, Nora e eu confessamos certa fraqueza por sermos divas domésticas — com aventais e tudo mais —, mas não acreditamos que isso termine com uma refeição fabulosa. Trata-se de alimentar as almas, prover refúgio para os cansados e viver com generosidade.

Mulheres como Sarah Edwards e Kate Luther entendiam isso. Sabiam que o trabalho tem um escopo maior. Não se tratava apenas de sua eficiência ou efetividade no trabalho. Às vezes tratava-se de fazer com que outras pessoas também tivessem sucesso.

Dezenas de páginas sobre a História Ocidental mostram que ainda estamos mal-equipadas para resolver nossos próprios desafios. Amor e labor, lar e trabalho — esses conceitos demandam perspectiva eterna. Por tal razão, no próximo capítulo, retrocederemos ainda mais na história, a fim de entender o contexto do trabalho na história antiga.

04 {a história antiga

Chama-se "a revelação".
Na indústria televisiva, é esse o termo para o momento em que a transformação — do lar ou da pessoa — é mostrada a um auditório. Eles põem a mão sobre a boca e sua única razão de existir naquele momento é gritar, chocar-se e chorar. Preferivelmente, as três coisas ao mesmo tempo.

Quando a cortina se abre, a "revelação" pode dar forma a como você reflete sobre as próprias escolhas. Você poderá pensar no estilo de seu lar ou, se for honesta, *naquele* cômodo, o que está cheio de pilhas cada vez maiores de procrastinação. Com as dezenas e dezenas de programas de TV a cabo e sites como o Pinterest, não é surpresa se você pensar em sua casa como uma expressão de sua identidade.

mulher, cristã e bem-sucedida

Conforme vimos no capítulo anterior, esse não é o conceito do lar que a maioria das pessoas tem sustentado ao longo da história. O lar era o centro de produtividade. Se não conhecermos essa história, então leremos os versículos bíblicos sobre o lar apenas pela lente de nossa experiência atual — compreendendo, eventualmente, de forma equivocada, o intento dessas passagens.

Consideremos dois desses versículos do Novo Testamento:

> Mas rejeita viúvas mais novas, porque, quando se tornam levianas contra Cristo, querem casar-se, tornando-se condenáveis por anularem o seu primeiro compromisso. Além do mais, aprendem também a viver ociosas, andando de casa em casa; e não somente ociosas, mas ainda tagarelas e intrigantes, falando o que não devem. Quero, portanto, que as viúvas mais novas se casem, criem filhos, sejam boas donas de casa e não deem ao adversário ocasião favorável de maledicência. Pois, com efeito, já algumas se desviaram, seguindo a Satanás (1 Timóteo 5.11-14, ênfase acrescentada).

> Quanto às mulheres idosas, semelhantemente, que sejam sérias em seu proceder, não caluniadoras, não escravizadas a muito vinho; sejam mestras do bem, a fim de instruírem as jovens recém-casadas a amarem ao marido e a seus filhos, a serem sensatas, honestas, boas donas de

A HISTÓRIA ANTIGA

casa, bondosas, sujeitas ao marido, para que a
palavra de Deus não seja difamada (Tito 2.3-5,
ênfase acrescentada).

Essas duas passagens foram escritas pelo apóstolo Paulo, que, em determinados círculos, é acusado de ser opressivamente preconceituoso contra mulheres, por causa daquilo que escreveu. Mas, se entendermos corretamente as experiências da Igreja do século I, sua herança judaica e a cultura romana que a cercava, concluiremos que, em verdade, Paulo é bastante progressista.

No decorrer dos últimos poucos séculos, os cristãos têm debatido a área em que suas mulheres deveriam ser produtivas. Quando a cultura dominante desvalorizava o casamento e a maternidade, os cristãos (e alguns de outras tradições religiosas) enalteciam corretamente esses papéis importantes. Quando a cultura dominante supervalorizava o lugar do trabalho, os cristãos também enalteciam o valor do lar.

O único problema é que nosso conceito moderno de lar não é o mesmo que o conceito bíblico. Conforme vimos no último capítulo, durante a maior parte da história humana, o lar foi o espaço original da pequena empresa, o bloco de construção da vitalidade econômica de uma comunidade. Foi somente depois das reviravoltas da Revolução Industrial que o lar deixou de ser lugar de produtividade para ser lugar de consumo.

mulher, cristã e bem-sucedida

Para Paulo, aconselhar as mulheres a cuidar de suas casas e trabalhar em casa era o mesmo que dizer que o trabalho das mulheres é importante nos dois âmbitos: o físico e o espiritual. Ele não estava limitando o escopo do trabalho das mulheres nos dias atuais. Não podemos acusar Paulo de ser sexista quando ele recomendava que as mulheres dirigissem suas casas. Conforme veremos, ele estava sendo *estratégico*.

Assim, em vez de uma transformação moderna com uma grande "revelação", abriremos as cortinas da história antiga. Vamos aprender com o exemplo de duas mulheres na Escritura ao cavarmos mais fundo para entender suas histórias e sua cultura. Isso nos ajudará a aplicar as ordens bíblicas que estão além do tempo e sempre transcendem a cultura.

A Cor Púrpura

Quando Paulo escreveu as duas ordens citadas acima, endereçou-as aos jovens pastores Timóteo e Tito. Ele estava abordando tanto essas questões específicas que eles enfrentavam em suas igrejas como o quadro maior de como os seguidores de Cristo devem viver. Se não levarmos em consideração ambos os ângulos, correremos o risco de perder de vista alguns pontos importantes. Conforme observa o historiador e teólogo Bruce Winter, os preconceitos teológicos atribuídos a Paulo foram extensamente examinados, mas

A HISTÓRIA ANTIGA

pouca atenção tem sido dispensada ao ambiente em que realmente se encontravam as mulheres em questão.[1]

Comecemos com uma comerciante de nome Lídia. Encontramos sua história em Atos 16. Paulo acabara de chegar a Filipos, uma colônia romana e cidade principal da província grega da Macedônia.

> No sábado, saímos da cidade para junto do rio, onde nos pareceu haver um lugar de oração; e, assentando-nos, falamos às mulheres que para ali tinham concorrido. Certa mulher, chamada Lídia, da cidade de Tiatira, vendedora de púrpura, temente a Deus, nos escutava; o Senhor lhe abriu o coração para atender às coisas que Paulo dizia. Depois de ser batizada, ela e toda a sua casa, nos rogou, dizendo: Se julgais que eu sou fiel ao Senhor, entrai em minha casa e aí ficai. E nos constrangeu a isso (Atos 16.13-15).

Poucos versículos antes disso, é-nos dito que a ambição de Paulo de evangelizar a Ásia Menor foi impedida pela clara direção do próprio Espírito Santo. Em resposta a um sonho em que um homem da Macedônia implora que ele passe até ali e os ajude, Paulo vai a Filipos, uma importante cidade da região da Macedônia, hoje parte da Grécia moderna. Ali, ele conhece uma mulher que será sua primeira convertida europeia. Mas ela não é de Filipos; sua cidade natal é Tia-

---

[1] Bruce W. Winter, *Roman Wives, Roman Widows: The Appearance of New Women and the Pauline Communities* (Grand Rapids, MI: William B. Eerdmans Publishing Co., 2003), xii.

mulher, cristã e bem-sucedida

tira, na verdade a região da Ásia Menor, local que Paulo foi impedido pelo Espírito Santo de visitar. "São muitas as ironias", escreve o professor de Bíblia John MacArthur:

> Em vez de alcançar Lídia na região que ela considerava seu lar, o evangelho a seguiu até a Europa, em razão da sua atividade comercial. Embora Paulo tivesse visto um homem da Macedônia em sua visão, foi uma mulher da Ásia Menor a primeira convertida relatada da Europa.[2]

Como ela vendia tinta púrpura e um luxuoso tecido de cor roxa, é provável que a profissão de Lídia a tivesse levado à Europa. Essa tinta era a base para a púrpura real oficial, o que tornava a substância um dos bens mais caros do mundo antigo. Seu comércio, provavelmente, era muito lucrativo.[3]

A primeira resposta de Lídia ao ouvir o evangelho foi oferecer hospitalidade a Paulo e seus companheiros de viagem. O lar de Lídia acabou sendo a base para a nova igreja de Filipos — a primeira igreja da Europa. O estado civil de Lídia é incerto; o que sabemos é que ela era uma rica senhora que tinha, sob seu comando, numerosos servos ou escravos. (Isso não se compara à escravidão americana. Os escravos romanos não tinham marcas que os identificassem, podiam vestir-se como homens livres, podiam comprar sua liberdade e alguns, eventualmente, conseguiam até se tornar cida-

---

2 John MacArthur, *Twelve Extraordinary Women* (Nashville: Thomas Nelson, 2005), 190.
3 Ibid., 191.

dãos romanos.)⁴ Conforme ressalta MacArthur, Paulo não tinha planos para o futuro imediato e, assim, a oferta de Lídia seria para hospedá-los por um tempo indefinido:

> O custo real para Lídia era potencialmente muito mais alto do que o valor em dinheiro de quarto e alimentação para um grupo de missionários. Lembre-se de que foi em Filipos que Paulo e Silas foram severamente açoitados, jogados na cadeia, com os pés presos em ferros. Acabaram sendo libertados por um terremoto milagroso, e o carcereiro e toda a sua casa se tornaram cristãos durante o ocorrido. Mas, se a pregação do evangelho era considerada ofensa passível de cadeia, Lídia estava se expondo a possíveis problemas — perda de negócios, má vontade na comunidade e até mesmo uma sentença de prisão para ela — ao hospedar esses estrangeiros e oferecer-lhes um ponto de base de onde evangelizar.⁵

O trabalho lucrativo de Lídia a capacitou a ser uma ousada parceira no evangelho para Paulo e seus companheiros missionários, além de patrona da nova igreja iniciada em Filipos. Nisso, ela seguia os passos de Susana, Joana e Maria Madalena, mulheres que sustentaram Jesus e seus discípulos: elas "lhe prestavam assistência com os seus [próprios] bens" (Lucas 8.3).

---

4 Howard F. Vos, *Nelson's New Illustrated Bible Manners & Customs* (Nashville: Thomas Nelson Publishers, 1999), 630.
5 MacArthur, *Twelve Extraordinary Women*, 196.

mulher, cristã e bem-sucedida

A Nova Mulher

Se Paulo estava disposto a ser sustentado por uma comerciante como Lídia, por que recomendaria que as mulheres se ocupassem do lar, gerenciando suas casas? Primeiro, conforme já vimos, a maior parte do trabalho daquele tempo baseava-se no lar ou próximo dele. Se hoje lemos essas passagens em nosso próprio contexto cultural, e presumimos que Paulo quisesse ver as mulheres na berlinda, e não em lugar de influência, seria nosso benefício olharmos mais de perto o contexto cultural do tempo de Paulo. Ao agirmos assim, veremos que isso é exatamente *o contrário* do que Paulo estava dizendo. Ele desejava que as mulheres fossem influentes e estratégicas por amor ao evangelho.

Na época da conversão de Lídia, as mulheres da elite estavam se rebelando contra o padrão sexual dúplice das famílias romanas. Algumas décadas antes disso, durante o reinado de César Augusto (27 a.C. a 14 d.C.), algumas esposas romanas haviam começado a procurar a mesma imoralidade sexual de seus maridos, juntando-se a eles em jantares de orgias e bebedeiras, e procurando homens mais jovens. Mais tarde, esse modelo passou a ser referido como o da "nova mulher".

Não causa surpresa que tenham caído os índices de casamentos e nascimentos, e os abortos não eram incomuns. Preocupado com a situação do império, Augusto promulgou

A HISTÓRIA ANTIGA

leis sociais para combater essas tendências, um conjunto de leis conhecidas como *Lex Julia*, escritas em cerca de 17 a.C. Tais leis regulamentavam o casamento e as atividades sexuais, provendo incentivos legais e financeiros para as famílias terem filhos, designando penas para as que se recusassem a isso, além de leis sobre adultério e divórcio. Por exemplo, os maridos eram proibidos de "matar pela honra" se descobrissem que suas esposas estavam com outro homem, mas era-lhes requerido também ajuizar ações legais de divórcio e julgamento por adultério no prazo de sessenta dias. Se isso não fosse feito corretamente, o marido poderia ser acusado de agir como "cafetão" de sua esposa. As esposas comprovadamente adúlteras enfrentavam penalidades ainda mais severas. "Uma vez divorciada e comprovada sua culpa de adultério por um tribunal, a esposa perdia metade do dote, um terço de qualquer outra propriedade que possuísse e era relegada a uma ilha", escreve Winter. "A mulher assim julgada não poderia mais entrar em outro casamento plenamente válido."[6]

Essas novas leis procuravam criar duas classes de mulheres: as virtuosas e as promíscuas. Essa divisão de classes era sinalizada pelas vestimentas, porque, de acordo com a jurisprudência romana, você era o que vestia. Em 28 a.C., César Augusto legislou o tipo de roupa que as mulheres casadas podiam vestir, o que vestiam as esposas adúlteras

---

6 Winter, *Roman Wives, Roman Widows*, 42.

mulher, cristã e bem-sucedida

condenadas e as prostitutas. Mulheres casadas deviam usar *stola* (uma veste grande, sem mangas, suspensa a partir dos ombros, em cima da roupa básica) e *vittae* (faixa para os cabelos), itens proibidos por lei para as prostitutas. Os homens romanos, por sua vez, usavam toga, e as únicas mulheres que usavam toga eram as condenadas por adultério, que usavam essa vestimenta como símbolo vergonhoso.

Essas leis também proibiam as mulheres descendentes de — ou casadas com — gente das classes da elite de se tornar prostitutas de alta classe, conhecidas como cortesãs ou *hetairai*. As *hetairai* vestiam-se luxuosamente, com muitas joias e, às vezes, trajes transparentes, em forte contraste às matronas, com seus véus e *stola*.

Infelizmente para Augusto, a própria filha — de forma irônica, chamada Júlia — não cumpria a regulamentação da *Lex Julia* e foi julgada por adultério em 2 a. C. O escritor romano Sêneca assinalou que Augusto ficou "'alarmado por sua filha e pelos jovens nobres que estavam ligados a ela por seu adultério como se fosse por um juramento militar'. Reclamou que 'ela recebia seus amantes em turmas... vagava pela cidade nos passeios noturnos... Passou do adultério para a prostituição... [ela buscava] gratificação de toda espécie nos braços de amantes casuais'".[7]

Como Júlia, muitas mulheres da elite se rebelaram contra essas novas leis. Embora fossem casadas, algumas agiam

---

7   Ibid., 51.

como as *hetairai* e até mesmo se registravam como prostitutas, pois as leis sobre adultério não se aplicavam àquela classe da sociedade. Mas Augusto prosseguiu em sua campanha, conclamando tanto homens como mulheres a adotarem um padrão mais elevado de conduta em prol do Império. Em uma assembleia de homens solteiros, Augusto declarou que não havia melhor relacionamento do que o de um casamento em que "a esposa é de casta conduta... doméstica, senhora de sua casa, boa governanta do lar, criando os filhos; alguém... que reprima a louca paixão da juventude".[8]

Augusto via a importância dessas virtudes para uma sociedade estável. Infelizmente, porém, essa promiscuidade se manteve, seduzindo as mulheres para longe das responsabilidades de gerenciar uma casa complexa. Era a essa cultura que Paulo ministrava quando viajava pelo Império Romano, cultura que guarda bastante semelhança com a nossa atual. Mas Paulo veio com uma mensagem que transcendia a agenda de César Augusto, e é a que também temos de ouvir.

Avanço do Evangelho

Anteriormente, o apóstolo Paulo fora fariseu e rabino. Desse modo, cresceu em um mundo em que homens e mulheres eram acentuadamente segregados. As mulheres eram restritas no templo aos átrios externos femininos e

---
8 Ibid., 53.

sentavam-se separadas dos homens nas sinagogas. Os rabinos judeus não podiam olhar nos olhos das mulheres que não fossem membros de sua família, menos ainda falar com elas. É provável que ele fizesse a oração diária agradecendo a Deus por ter sido criado homem, e não mulher, escravo ou gentio.

Mas, após a sua conversão, Paulo passou a se referir às mulheres como suas colaboradoras no evangelho (Filipenses 4.1-3). Recomendou Febe como diaconisa e patrona (Romanos 16.1-2). Labutou e evangelizou junto um casal casado, Priscila e Áquila (vv. 3-4). Em vez de suas orações anteriores de agradecimento por não ter nascido mulher, escravo ou gentio, Paulo escreveu em Gálatas 3.28: "Dessarte, não pode haver judeu nem grego; nem escravo nem liberto; nem homem nem mulher; porque todos vós sois um em Cristo Jesus".

Lembre-se de que Paulo escrevia suas cartas como cidadão romano, o que significava que não desconhecia a cultura ou as leis, tampouco o modo como se formara a cultura que ele procurava alcançar — ele sabia muito bem o que afetava o casamento e a família. Em meio a essas leis romanas e às práticas judaicas que permitiam que o homem se divorciasse de sua esposa por quase nada, Paulo manteve um padrão diferente: as palavras de Jesus. Contra uma cultura sexualmente permissiva, Paulo não apoiava o divórcio nem a promiscuidade para homens ou mulheres. Contra a

A HISTÓRIA ANTIGA

prática comum da imoralidade sexual e da promiscuidade, Paulo insistia no domínio próprio para todos — mencionando especificamente os homens mais velhos, as mulheres mais velhas, os homens jovens e as mulheres mais jovens (Tito 2).

Diferente de Augusto, Paulo não se preocupava com o bem-estar do Estado. Sua aliança era com um reino maior; assim, ele instava os cristãos "a fim de ornarem, em todas as coisas, a doutrina de Deus, nosso Salvador" (Tito 2.10). Como a historiadora Diana Severance observa:

> Os apóstolos não acomodavam sua instrução à cultura, mas conclamavam os cristãos a viverem a nova vida em Cristo em suas relações pessoais. Paulo disse às esposas para "serem submissas ao próprio marido como ao Senhor"; Pedro disse-lhes que aceitassem a autoridade do esposo. Os maridos deveriam "amar a esposa e não tratá-la com amargura", "amar a esposa como Cristo amou a igreja" e "viver a vida comum do lar com discernimento, mostrando honra à sua mulher". Nada semelhante a essas ordens podia ser encontrado nos manuais de gerência das casas greco-romanas. Paulo e Pedro não estavam só tentando manter a ordem social. Estavam demonstrando como os cristãos devem viver e, no final, transformar a ordem social. As atitudes e os comportamentos tanto do marido como da

esposa deveriam ser moldados por seu relacionamento com Cristo.[9]

Paulo foi contracultural em sua visão das mulheres. Ele encorajava as mulheres a serem produtivas em uma cultura que enaltecia o prazer. Ele as promovia. Paulo confirmava as mulheres no trabalho que elas faziam, como quem glorifica a Deus. Via o esforço das mulheres em seus lares — quem sabe, pelo exemplo de Lídia — como uma refutação estratégica à calúnia do Inimigo. Lídia foi uma mulher que usou tudo que tinha — sua influência, seu lar, seus relacionamentos, seu dinheiro, até mesmo seu trabalho — para promover o avanço do evangelho. Talvez fosse isso que Paulo tinha em mente quando instruiu Timóteo e Tito a aconselhar as mulheres a não serem tagarelas preguiçosas e, em vez disso, voltarem a trabalhar, cuidando de suas casas.

Um Arquétipo de Sabedoria

A recomendação do Novo Testamento de mulheres diligentes flui das ideias acerca da produtividade feminina no Antigo Testamento. O exemplo mais conhecido é o da mulher de Provérbios 31. Examinaremos sua história nessa narrativa a respeito do trabalho.

---

9 Diana Lynn Severance, *Feminine Threads: Women in the Tapestry of Christian History* (Glasgow: Christian Focus, 2011), 31.

A HISTÓRIA ANTIGA

A coisa mais importante para se saber sobre essa "supermulher" do Antigo Testamento é que ela nunca existiu. Encontrada na conclusão do Livro de Sabedoria do Antigo Testamento, ela é apenas um arquétipo de como é uma mulher virtuosa, uma compilação de atividade frutífera em diversas estações da vida.

Ela é descrita em Provérbios 31.10-31, em um acróstico de versículos a respeito da excelência feminina, um verso para cada letra do alfabeto hebraico. São os dizeres de um rei desconhecido que lhe foram ensinados por sua mãe. Presumivelmente, essa mãe realizava múltiplas tarefas — ensinando ao filho tanto o alfabeto como as características de uma mulher que lhe seria uma excelente esposa.

Embora, possivelmente, acreditemos conhecer bem a mulher de Provérbios 31, mais uma vez precisamos remover a poeira de nossas ideias a seu respeito e examinar de perto esse tributo, a fim de "revelar" o que podemos aprender com ela. Esse tributo poético é uma grande combinação de qualidades femininas — trata de relacionamentos, produtividade, frutificação e sagacidade financeira —, com apenas um versículo a respeito de beleza. É fácil ignorar o fato de que este capítulo tem a dizer muito mais sobre seu trabalho do que qualquer outra coisa.

Vamos ver isso versículo por versículo:

> Mulher virtuosa, quem a achará? O seu valor muito excede o de finas joias (v. 10)

mulher, cristã e bem-sucedida

Esse versículo traz muitas nuances subjacentes. A versão HCSB de língua inglesa traduz a expressão hebraica como a "esposa capaz". A NVI traduz como "esposa exemplar". Essa mulher excelente, capaz e exemplar é altamente considerada pela forma como investe seus talentos e habilidades para a melhoria de todos que estão a seu redor.

> O coração do seu marido confia nela, e não haverá falta de ganho. Ela lhe faz bem e não mal, todos os dias da sua vida (vv. 11-12)

Hoje em dia, alguns talvez se retraiam pelo fato de essa mulher ser descrita em seu papel de esposa, mas o pensamento hebraico não seria assim. De uma forma diferente do individualismo norte-americano, historicamente as culturas, em sua maioria (e mesmo agora), pensam mais em termos de identidade comunitária. Como escreve o teólogo Barry Danylak, casamento e procriação eram fundamentais à sociedade israelita:

Além de serem marcadores fundamentais da bênção pactual de Deus, o casamento e os filhos eram vitais para a sociedade israelita em mais dois aspectos. Primeiro, casamento e descendência eram necessários para a manutenção da herança de terra designada dentro da família. Segundo, os descendentes e a terra eram necessários para se preservar o nome depois da morte. Não ter descendência muitas vezes resultava na perda da terra que a pessoa tinha e, consequentemente, ter o nome apagado da memória dentro do clã e da nação — destino pior do que a própria morte física... Em suma, o casamento era uma prática universal na antiga Israel, porque ser casado e ter filhos eram evidências da bênção de Deus e, implicitamente, evidências de fidelidade ao pacto.[10]

Embora esse cenário destaque a vida de uma mulher casada, as leitoras solteiras devem lembrar-se de que Jesus é o cumprimento da bênção pactual de Deus para todos nós. Ele nos dá sua plena e completa justiça em troca de nosso pecado e de nossa infertilidade, e nos dá seu nome e sua herança. O tributo ao casamento não visa excluir as mulheres solteiras, mas, sim, ressaltar as características que todas as mulheres devem possuir.

Nesse contexto, o poema acróstico a seguir delineia como a mulher frutífera e produtiva se parece, de variadas maneiras:

> Busca lã e linho e de bom grado trabalha com as mãos. É como o navio mercante: de longe traz o seu pão. É ainda noite, e já se levanta, e dá mantimento à sua casa e a tarefa às suas servas. Examina uma propriedade e adquire-a; planta uma vinha com as rendas do seu trabalho. Cinge os lombos de força e fortalece os braços. Ela percebe que o seu ganho é bom; a sua lâmpada não

---

10 Barry Danylak, *Redeeming Singleness: How the Storyline of Scripture Affirms the Single Life* (Wheaton, IL: Crossway Books, 2010), 80–81.

> se apaga de noite. Estende as mãos ao fuso, mãos
> que pegam na roca (vv. 13-19)

A chave para tudo isso é que essa mulher, "de bom grado trabalha com as mãos". Não vê suas obrigações como um fardo. Deleita-se no trabalho que recebeu. Além do mais, ela é empreendedora, cheia de energia, forte e hospitaleira ao executar essas tarefas. Percebe que "seu ganho é bom", o que significa, literalmente, que ela "prova" ou saboreia o fruto daquilo que conseguiu.

Suas primeiras responsabilidades eram prover alimento e vestuário para sua casa. No mundo antigo, essa não era uma tarefa pequena. Esses deveres se haviam tornado o trabalho realizado pelas mulheres porque as tarefas eram compatíveis com o cuidado dos filhos. Conforme escreve um historiador:

> Assim como as artes de fiação, tecelagem e costura: eram repetitivas, fáceis de retomar de qualquer ponto, razoavelmente seguras com crianças pequenas por perto e facilmente executadas dentro do lar... A única outra ocupação que se encaixa nesses critérios até mesmo em metade de sua habilidade seria a de preparar o alimento de cada dia. Alimento e vestuário: é o que as sociedades por todo o mundo enxergam como o cerne do trabalho das mulheres (embora outras tarefas possam ser acrescentadas ao seu

A HISTÓRIA ANTIGA

encargo, dependendo das circunstâncias da sociedade específica).[11]

Por séculos (até a Idade Média), as mulheres usavam uma roca para torcer a fibra bruta em fio, quando, então, foi inventada a roda de fiar, que permitia às mulheres que fiassem umas quatro vezes mais depressa do que com a mão. Não era difícil esse trabalho, mas requeria aplicação consistente e constante para suprir linha suficiente para as necessidades da casa e da comunidade comerciante.

Por isso a mulher sábia de Provérbios 31 é elogiada também como gerente eficiente. A *Bíblia de Estudos ESV*, de *língua inglesa*, diz que, "ao prover para sua casa e suas servas antes de o dia começar, a 'mulher excelente' multiplica a efetividade de seu trabalho, porque o planejamento faz com que todos os demais da casa sejam produtivos ao longo do dia".[12]

Seu planejamento não é apenas para o futuro próximo. Essa mulher pensa em longo prazo. Comercializa com lucros para que tenha uma renda e, então, multiplica seus ganhos comprando um campo e plantando uma vinha — um investimento em longo prazo. Mesmo hoje, são necessários uns bons três anos ou mais para uma vinha amadurecer e produzir frutos. Essa mulher sábia é estratégica no ato de investir

---

11 Elizabeth Wayland Barber, *Women's Work: The First 20,000 Years* (New York: W. W. Norton & Co., 1994), 29–31.
12 The *ESV Study Bible*, English Standard Version (Wheaton, IL: Crossway Bibles, 2008).

no futuro, pensando adiante sobre o que a próxima estação possa produzir e como preparar-se para ela.

> Abre a mão ao aflito; e ainda a estende ao necessitado (v. 20)

Embora dirija uma casa cheia de ocupações e uma pequena empresa, essa mulher nunca está ocupada demais para ajudar os carentes. Sua produtividade não é desculpa para ignorar as necessidades do próximo. Essa mulher de caráter nobre é forte, e seus braços firmes amparam os fracos e necessitados. Toma a iniciativa e oferece seu toque pessoal aos carentes.

> No tocante à sua casa, não teme a neve, pois todos andam vestidos de lã escarlate. Faz para si cobertas, veste-se de linho fino e de púrpura... Ela faz roupas de linho fino, e vende-as, e dá cintas aos mercadores (vv. 21–22; 24)

Mais uma vez, percebemos quanto essa mulher planeja adiante — mesmo para eventos que raramente ocorrem em seu clima, como a neve. Ela antevê as mudanças das estações e tem preparadas roupas suficientes para manter sua casa bem aquecida. Além disso, esse versículo revela que ela é uma habilidosa artesã. Um lençol de fino linho era um verdadeiro luxo e mostra sua capacidade de trabalhar bem com o fio. Nesse contexto, a roupa de púrpura mostra como devia ser próspera essa família.

> Seu marido é estimado entre os juízes, quando se assenta com os anciãos da terra (v. 23)

Tipicamente, os portões da cidade eram o local onde as transações comerciais e administrativas se passavam. O fato de seu marido assentar-se ali significava que era um homem influente, conhecido e respeitado por outros líderes. Em parte, ele é respeitado porque os atos diários dela refletiam bem sobre a reputação da família.

O Fruto de suas Mãos

Finalmente, chegamos aos versículos que fecham este epílogo, os quais enfocam especificamente o caráter que ela cultivou e os frutos de sua produtividade e indústria.

> A força e a dignidade são os seus vestidos, e, quanto ao dia de amanhã, não tem preocupações. Fala com sabedoria, e a instrução da bondade está na sua língua. Atende ao bom andamento da sua casa e não come o pão da preguiça. Levantam-se seus filhos e lhe chamam ditosa; seu marido a louva, dizendo: Muitas mulheres procedem virtuosamente, mas tu a todas

mulher, cristã e bem-sucedida

> sobrepujas. Enganosa é a graça, e vã, a formosura, mas a mulher que teme ao Senhor, essa será louvada (vv. 25-31)

A maioria das mulheres cristãs tem ouvido muitas mensagens sobre beleza, mas quantas de nós as têm ouvido no contexto da produtividade? Ela pode ser bela, mas essa não é a razão pela qual é louvada nos portões da cidade. Essa mulher virtuosa merece ser louvada porque procede de maneira excelente. É o seu trabalho árduo que merece recomendação. Motivada por amor e respeito ao Senhor — sua maior virtude —, seu trabalho é frutífero, digno de louvor e excelente. O fruto de seus esforços diligentes marca essa frase final do Livro de Sabedoria do Antigo Testamento.

As verdades atemporais que encontramos nos relatos sobre Lídia e sobre a mulher de Provérbios 31 são aplicáveis a nós atualmente. Suas histórias fazem parte essencial da história maior de trabalho que tem sido demonstrada em nosso exame.

{parte 02}
a teologia do trabalho

3 geologia do trabalho (parte-02)

A TEOLOGIA DO TRABALHO

Acabamos de lhe contar uma longa história a respeito do trabalho. Falamos de nossa experiência de trabalho e traçamos um painel geral sobre mulheres trabalhando ao longo da história.

Agora, chegamos à teologia do trabalho. Nesta seção, não abordaremos as questões práticas sobre o trabalho e a vida fora de nossos empregos. Perguntamos, aqui, *por que* trabalhamos, o que atinge o âmago de nossos anseios e desejos.

A maioria de nós deseja que alguém nos diga que estamos fazendo as escolhas certas. Temos perguntas reais sobre nosso trabalho, mas, acima de tudo, queremos a segurança de que estamos fazendo o melhor que podemos. Este livro não pode atender a essa necessidade nem vai responder a todas as perguntas sobre trabalho. Porém, confiamos em que Jesus permanece como o pastor fiel de seu povo, e ele é plenamente capaz de prover respostas a toda pergunta e recursos para todas as necessidades.

Assim, nós o seguimos. O caminho é o de discipulado. Toda mulher cristã é chamada para ser discípula de Cristo e "desenvolver vossa salvação com temor e tremor" (Filipenses 2.12). A forma como isso se dará será singular para você, "porque Deus é quem efetua em vós tanto o querer como o realizar, segundo a sua boa vontade" (v. 13). A Bíblia não é específica quanto às vocações. Não manda todos os cristãos ser advogados ou médicos — mas nos diz que, como seus filhos redimidos, somos chamados a amar e segui-lo. Por quê? Porque ele tem um plano de redenção e é nisso que está trabalhando. Como somos incapazes de prover todas as respostas, queremos apontar-lhe a única que temos: confie no Deus que trabalha em você.

Isso nos traz de volta à ideia de um "fato de terra plana". Como existem pressupostos históricos e culturais que formulam nossas ideias sobre as mulheres e o trabalho, só seremos capazes de discernir as falsas ideias que se mascaram como verdades ao alinhá-las contra o plano de Deus para o trabalho. Por essa razão, nos capítulos seguintes veremos o propósito de Deus para o trabalho, as lutas que travamos para encontrar nossa identidade no trabalho, como e por que cessar o trabalho e descansar, e como é a ambição para uma mulher que segue Cristo.

Todo livro que lemos sobre o assunto de mulheres e trabalho dedica 90% do texto a questões sobre as quais todos nós concordamos: o trabalho *é mesmo* duro, não temos tempo suficiente para fazer tudo e existem muitos obstáculos para fazê-lo bem. Tais livros terminam com sugestões como: "devemos contar com mais subsídios governamentais para cuidar dos filhos com qualidade", e "consiga que seu marido ajude mais nas tarefas domésticas". Porém, todas nós sabemos que as soluções têm de ser maiores do que isso.

Talvez precisemos de uma perspectiva renovada sobre por que trabalhamos: a Bíblia nos mostra que o trabalho é realmente uma *dádiva* para nós; ele nos dá propósito para nossos esforços.

05 {propósito

Um Jardim para Trabalhar

As palavras de abertura do Evangelho de João nos oferecem uma introdução poética à obra de Deus no alvorecer do tempo:

> No princípio era o Verbo, e o Verbo estava com Deus, e o Verbo era Deus. Ele estava no princípio com Deus. Todas as coisas foram feitas por intermédio dele, e, sem ele, nada do que foi feito se fez (João 1.1–3).

mulher, cristã e bem-sucedida

O Verbo — Jesus — é Deus. Como parte da Trindade, Jesus cumpriu os decretos falados do Pai, trazendo o mundo à existência (Gênesis 1), criando luz e trevas; terra e mar; plantas e animais; e as estrelas, o sol e a lua. Se imaginarmos Gênesis como um filme de cinema, em que os créditos de abertura começam a rolar, a primeiríssima cena é a de Deus trabalhando. Mas não se pode ver nada, porque a tela é negra. Aí, no meio das trevas, a voz de Deus pode ser ouvida: "Haja luz". *Flash* — houve luz. Deus começa seu trabalho de criação.

Em cada acréscimo à criação, o Pai o pronuncia bom. Então, ele faz algo que chama de *muito* bom:

> Também disse Deus: Façamos o homem à nossa imagem, conforme a nossa semelhança; tenha ele domínio sobre os peixes do mar, sobre as aves dos céus, sobre os animais domésticos, sobre toda a terra e sobre todos os répteis que rastejam pela terra. Criou Deus, pois, o homem à sua imagem, à imagem de Deus o criou; homem e mulher os criou. E Deus os abençoou e lhes disse: Sede fecundos, multiplicai-vos, enchei a terra e sujeitai-a; dominai sobre os peixes do mar, sobre as aves dos céus e sobre todo animal que rasteja pela terra" (Gênesis 1.26–28).

Espere um pouco. Aperte o botão de "pausa", pois aqui segue uma coisa muito boa. Na primeira palavra de ação que segue o relato de criação da humanidade, encontramos

PROPÓSITO

nosso propósito: encher e sujeitar a terra. Não como um monarca que faz exigências impossíveis para seus servos correrem como loucos para realizar suas vontades. Fomos criados para sujeitar, ou governar, o mundo, a fim de que nosso trabalho imite nosso Deus trabalhador e criativo. O versículo 28 expande claramente esse conceito com este mandamento, dado a *ambos*, macho e fêmea: "Sede fecundos, multiplicai-vos, enchei a terra e sujeitai-a". No paraíso criado por Deus, os seres humanos foram designados a trabalhar e isso foi chamado de *muito* bom. O trabalho é o modo como imitamos a Deus. "Quando Deus criou as pessoas e as colocou em um jardim perfeito, o trabalho fazia parte de sua provisão de dar significado à vida", escreve o teólogo Leland Ryken. "Ainda hoje, ele pode ter esse propósito."[1]

Gênesis 2 amplifica o relato da criação. Prosseguindo em nossa analogia de cinema, é aqui que a iluminação fica mais suave e a música muda para algo promissor com um toque de romance. A situação está prestes a ficar muito boa. Em Gênesis 2.15, vemos: "Tomou, pois, o Senhor Deus ao homem e o colocou no jardim do Éden para o cultivar e o guardar". Depois de dar um propósito a Adão, Deus lhe dá uma companheira: "Disse mais o Senhor Deus: Não é bom que o homem esteja só; far-lhe-ei uma auxiliadora que lhe seja idônea" (v. 18).

---

1 Leland Ryken, *Redeeming the Time* (Grand Rapids: Baker Books, 1995), 177.

mulher, cristã e bem-sucedida

Deus sabia que Adão não conseguiria realizar essa tarefa sozinho. Precisava de uma "auxiliadora idônea" ou de um "complemento" para ele. Essa palavra no hebraico usada em Gênesis 2.18 para auxiliadora, *'ezer*, é o nome pelo qual Deus é chamado no Antigo Testamento, aquele que ajuda seu povo. O chamado como auxiliadora é o modo como nós, mulheres, portamos a imagem de Deus de modo singular em nossos relacionamentos e nosso labor. Para as mulheres casadas, é papel específico complementar seu marido, mas existe um sentido em todas as mulheres serem chamadas a imitar Deus como auxiliadoras. Mesmo quando estamos em posição de gerenciamento ou liderança no trabalho, ser auxiliadora não é uma ideia contraditória, porque é um aspecto da natureza de Deus. Jesus nos mostrou como é ser auxiliador ao servir a seus discípulos, ainda que ele fosse o líder. (Existe mais nesta ideia e em como aplicá-la, que desenvolveremos adiante no capítulo sobre "treinamento para o sucesso".)

É óbvio que Adão se deleitava em Eva, e, portanto, deu-lhe um nome que significa *doadora de vida* ou *mãe*, que expressava a alegria em contar com a sua ajuda em realizar esse trabalho. Adão recebeu Eva como companheira, e não como criatura subserviente a ele. Em sua parceria, vemos que o trabalho é um chamado compartilhado.

PROPÓSITO

Um Jardim para Deixar

Todo esse amor e essa feliz produtividade — que visão a ser contemplada! — estão no Éden. Porém, agora algo desliza e escorrega pelo paraíso, prestes a dar o bote sobre a harmonia. Entra a serpente sagaz. Com ousadia, ela desafia a autoridade de Deus com uma simples pergunta a Eva: "É assim que Deus disse: Não comereis de toda árvore do jardim?". Eva caiu na lógica distorcida da serpente, Adão não interveio e ambos desafiaram Deus comendo o fruto proibido do meio do jardim. O pecado — que é rebeldia contra a amável autoridade de Deus — entra agora em cena e Deus tem algumas palavras a dizer sobre suas implicações:

> E à mulher disse: Multiplicarei sobremodo os sofrimentos da tua gravidez; em meio de dores darás à luz filhos; o teu desejo será para o teu marido, e ele te governará. E a Adão disse: Visto que atendeste a voz de tua mulher e comeste da árvore que eu te ordenara não comesses, maldita é a terra por tua causa; em fadigas obterás dela o sustento durante os dias de tua vida. Ela produzirá também cardos e abrolhos, e tu comerás a erva do campo. No suor do rosto comerás o teu pão, até que tornes à terra, pois dela foste formado; porque tu és pó e ao pó tornarás (Gênesis 3.16–19).

A serpente mentira ao dizer para Eva que ela não morreria (v. 4). Adão e Eva logo provariam a morte. Sua união de amor com Deus e de um com o outro foi alterada para sempre, e a alegre produtividade de que antes gozavam já estava decadente.

A maldição significava que Adão e Eva e todos que os seguiriam agora teriam de trabalhar em dor e labutas, quer fosse no trabalho, quer fosse pelo pão de cada dia. Devido à queda, em nosso trabalho podemos ter momentos de alegria por sermos portadores da imagem do Deus que trabalha até hoje, como também momentos de dor e frustração. O bom propósito da produtividade permanece, mas agora é um trabalho a ser realizado entre espinhos e cardos. O pecado é o que torna o trabalho difícil. Como diz W. R. Forrester: "O homem deveria ser jardineiro, mas, em razão de seu pecado, tornou-se lavrador".[2]

Governar e Sujeitar

Subjugar os espinhos e cardos é um trabalho árduo. O conceito de trabalho que surge da Escritura implica intensidade, energia autêntica e espírito pioneiro. Quando Deus chamou homens e mulheres a trabalhar, não era seu intento que as mulheres se assentassem à margem, observando os

---

[2] Leland Ryken, *Work and Leisure in Christian Perspective* (Multnomah Press: Portland, OR, 1987), 129.

PROPÓSITO

homens suarem. Nós, mulheres, devemos sentir o peso do trabalho que fomos chamadas a realizar.

A ordem original de produzir não mudou com a queda; apenas tornou-se mais difícil. Essas palavras — sede fecundos, multiplicai-vos, enchei a terra, sujeitai-a e governe sobre ela (tenha domínio) — refletem não somente o intento de Deus para a procriação, como também um chamado para se produzir da terra por meio de nosso trabalho. A *Bíblia de Estudo ESV* nos ajuda a entender o hebraico original:

> O termo "sujeitar" (do hebraico *kabash*) em outros lugares significa trazer um povo ou uma terra sob sujeição para que renda serviço ao que o subjugou (Números 32.22, 29). Aqui temos a ideia de que o homem e a mulher devem tornar benéficos os recursos da terra para si, e isso implica que eles investiguem e desenvolvam os recursos da terra para torná-los úteis aos seres humanos em geral. Essa ordem provê fundamento para o sábio desenvolvimento científico e tecnológico.[3]

Esse chamado não é negociável. As mulheres, como também os homens, são chamadas a trabalhar. O quarto mandamento diz: "Seis dias trabalharás, mas no sétimo dia descansarás" (Êxodo 34.21). Se cremos na autoridade da

---
3 The *ESV Study Bible*, English Standard Version (Wheaton, IL: Crossway Bibles, 2008), 52.

Escritura, temos de andar obedientes e trabalhar, rejeitando toda e qualquer passividade quanto ao trabalho.

Trabalho Transformado

Felizmente, a corrupção do trabalho que encontramos em Gênesis 3 não é a palavra final sobre o trabalho. O Novo Testamento nos traz muita esperança de que o evangelho pode transformar tudo, até mesmo o nosso trabalho.

Marcos 6.3 nos conta que Jesus era um trabalhador artesão, filho de carpinteiro. A palavra grega usada aqui é *tekton*, que significa "aquele que trabalha com as mãos". Jesus poderia ter trabalhado com madeira, pedra ou metal — o vocábulo não é específico quanto ao material, mas à tarefa de construir. Jesus trabalhou sem alarde, durante a maior parte de sua vida adulta, como artesão. Teria limpado o suor da testa enquanto trabalhava com a força bruta de homem e as mãos nuas. A cada balançar do braço, Jesus experimentou a maldição do trabalho em um mundo caído. Mas, como ele veio reverter a maldição deste mundo caído, o triunfo da morte e da ressurreição de Jesus significa que ele também redimiu nosso trabalho fútil. Ele se tornou maldição por nós (Gálatas 3.13). Agora nós somos libertos para viver (e trabalhar) para Jesus.

Deus sabe que somos incapazes de atingir a perfeição que Adão e Eva tinham no jardim antes do pecado, e que ainda aguardamos a glorificação do céu. Portanto, ele provê esperança e ajuda para nós *agora mesmo*. Se cremos em Cristo como nosso Salvador, ele nos dá a esperança da glória. "Por intermédio de quem obtivemos igualmente acesso, pela fé, a esta graça na qual estamos firmes; e gloriamo-nos na esperança da glória de Deus" (Romanos 5.2). Ele nos dá a esperança futura de que um dia nossa luta contra o pecado acabará e nosso trabalho será recompensado (Hebreus 10.35-39).

Ele também nos dá a graça necessária para *transformar* nosso trabalho diário hoje. Na maior parte dos dias, é disso que temos de nos lembrar. Como ele faz isso? Deus transforma nosso trabalho primeiro nos transformando. Este é o efeito do evangelho sobre o nosso trabalho: Deus nos dá esperança de que ele pode tomar nossa atitude menos que perfeita quanto ao trabalho e santificá-la, tudo porque estamos unidos a Cristo. Ele toma aquilo que temos (que não é muito) e coloca na sua perfeição, dando a nós todas as qualidades que não possuímos.

Saber disso nos ajuda a evitar separar o trabalho em categorias *secular* e *sagrado* — pois, para Deus, todo trabalho é um chamado sagrado. Essa ideia é ressaltada pelo modo como a palavra em Gênesis 2.15 usada para trabalho, *'ābad*, é usada também para descrever o culto sacrificial realizado pelos sacerdotes no tabernáculo e no templo.[4] Trabalho e

---

[4] Jon Huntsinger, *The Trees Will Clap Their Hands: A Garden Theology* (Bloomington: Westbow Press, 2012), 9.

culto são termos que se mesclam na Bíblia, e isso pode ser uma realidade em nossa vida.

Os líderes da Reforma se esforçaram muito para trazer de volta essa dignidade ao trabalho, para que, não obstante o que estivéssemos fazendo, possamos vê-lo como trabalho feito para Deus. Essa é uma das doutrinas centrais da Reforma. Como escreveu Martinho Lutero: "O trabalho de monges e sacerdotes, por mais santo e árduo que seja, não difere nem um pouco do trabalho do lavrador rústico ou da menina em suas tarefas caseiras, pois todo trabalho é medido diante de Deus somente pela fé".[5] Ryken acrescenta:

> Os reformadores começaram rejeitando a divisão de trabalho medieval entre sagrado e secular. A essa rejeição, acrescentaram a doutrina da vocação ou chamado, pelo qual queriam dizer que Deus chama as pessoas às tarefas neste mundo. Assim, todo trabalho feito para a glória de Deus era sagrado... A pedra fundamental do pensamento protestante era a soberania de Deus sobre toda a vida, e disso fluíam uma consciência da criação de Deus do mundo e seu cuidado providencial por ele. Dada essa afirmação do mundo em que Deus colocou suas criaturas como gestores, era inevitável que a tradição reformada conferisse grande dignidade ao trabalho humano neste mundo.[6]

---

[5] Martin Luther, "The Babylonian Captivity of the Church", *Three Treatises* (Philadelphia: Fortress Press, 1990), 202–3.

[6] Ryken, *Redeeming the Time*, 76.

PROPÓSITO

Uma Colaboração de Amor

A grande contribuição de Martinho Lutero à Reforma — a doutrina da vocação — nos oferece um retrato em palavras que ajuda a pensar no que parece o trabalho transformado. É uma *colaboração de amor*. Lutero interpretou a ordem de Cristo quanto a não andar ansioso por comida, bebida ou roupas (Mateus 6.25) como uma evidência de que Deus trabalha através de nosso labor: "Ele dá a lã, mas não sem nosso esforço. Se ela estiver sobre a ovelha, ela não vai fazer a vestimenta".[7] Deus dá a lã, mas ela tem de ser aparada, penteada, fiada e transformada em tecido e veste antes de cumprir a sua promessa. Para Lutero, nossos empregos são oficinas em que aprendemos a amar o próximo:

> Se você for artesão, encontrará a Bíblia em seu atelier, em suas mãos, em seu coração; ela ensina e prega como devemos tratar o próximo. Olhe apenas para suas ferramentas, sua agulha, seu dedal, seu barril de cerveja, seus artigos de câmbio, sua balança, suas medidas, e verá estes dizeres escritos. Não poderá olhar para nenhum lugar em que não esteja visível a seus olhos. Nenhuma dessas coisas com as quais você trabalha diariamente é sem importância a ponto de não declarar incessantemente, se apenas quiser ouvir; não há falta de pregação quanto a isto, pois

---

[7] Gustaf Wingren, *Luther on Vocation*, trans. Carl C. Rasmussen (Eugene, OR: Wipf & Stock Publishers, 1957), 8.

> existem tantos pregadores quanto há transações, apetrechos, ferramentas e outros implementos em sua casa e em seu estado; estes gritam na sua face: "Usa-me para com o seu próximo como você desejaria que ele agisse para com você naquilo que é dele".[8]

Na narrativa bíblica, nosso trabalho é uma colaboração de amor com o Criador *em benefício do próximo*. Alguém tem fome? Jesus manda que ore pedindo o pão de cada dia. Assim, pede-se ao Pai celeste a boa dádiva do alimento. Do modo como Deus ordenou este mundo, os portadores de sua imagem colaboram com ele para plantar o grão, colhê-lo, assar o pão, entregá-lo aos mercados e vendê-lo às pessoas famintas. Recebemos o pão de cada dia porque dezenas e dezenas de outras pessoas foram fiéis em fazer o seu trabalho. O trabalho delas incorporava as orações atendidas.

Nosso labor diário — seja no mercado de ações, seja no lar — é uma oportunidade para amarmos uns aos outros por meio de nossos esforços. O que fomos chamados a fazer não é tão importante quanto *a forma* que empregamos para fazê-lo. Porque o nosso Criador está trabalhando por nosso intermédio para cumprir seu plano de redenção, transformando nossos labores entre os espinhos e abrolhos em transações de amor.

---

8 Ibid., 72.

PROPÓSITO

Propósito Redefinido

Sabemos que o trabalho é árduo, e pode ser tentador perguntar-nos a verdadeira razão pela qual temos de trabalhar. Quando nos parece sem significado — quando estamos limpando o bumbum dos pequeninos pela enésima vez no mesmo dia ou quando nos achamos em mais uma entediante reunião na companhia —, é importante lembrar que Deus está operando através de você, até mesmo nas tarefas mais corriqueiras e simples. O antídoto para esse sentimento de falta de significado é nos lembrarmos de que o Criador conferiu dignidade ao nosso trabalho.

A Bíblia redefine nosso propósito para o trabalho. Para início de conversa, essa foi a ideia dele, e ele continua trabalhando: "Porque Deus é quem efetua em vós tanto o querer como o realizar, segundo a sua boa vontade" (Filipenses 2.13).

Como Leland Ryken escreve: "Se Deus trabalha, o trabalho é bom e necessário. Simples assim. O trabalho de Deus é o modelo para o trabalho humano, mostrando-nos que vale a pena fazer o trabalho humano neste mundo de uma maneira cheia de propósito, prazerosa e realizadora".[9]

---

9 Ryken, *Redeeming the Time*, 165.

06 {descanso

Quando eu era criança, nada me deixava mais contente do que a notícia de um dia de neve, quando a escola estaria fechada devido ao mau tempo. Minhas irmãs e eu nos enfiávamos debaixo dos cobertores na cama da mamãe e escutávamos o anúncio pelo rádio de que a escola estava fechada. Enrolávamo-nos nas cobertas e voltávamos a dormir mais um pouco, felizes por ter um dia inesperado para espreguiçar e descansar.

Mesmo quando me tornei adulta, ainda jovem, eu me entusiasmava com dias de neve. Nunca tive o tipo de trabalho que fosse considerado indispensável — como médicos, enfermeiros ou paramédicos — e, assim, verificava meu estoque de filmes alugados se a neve estivesse na previsão do tempo.

Dias de neve nos forçam a parar para descansar. É um passe livre para ignorar as tarefas acumuladas e os prazos de entrega não cumpridos, simplesmente devido ao mau tempo. Mas não precisamos esperar o inverno para gozar dias de descanso. O descanso faz parte do ritmo do trabalho que Deus planejou para nós.

Infelizmente, a maioria das pessoas ignora esse benefício e nos faz sentir miseráveis quando descansamos. Em geral, operamos a uma velocidade de quebrar o pescoço, indo de tarefa a tarefa, evento a evento, da manhã à noite. O celular toca sem parar, o micro-ondas bipa, nossos motores roncam ao correr pelas estradas. O ritmo frenético de nossas vidas, quer estejamos levando os filhos para lá e para cá entre as escolas e os treinos esportivos, quer enfrentando grandes projetos de trabalho, leva-nos a negligenciar nossa necessidade de descanso. Vivemos sempre cansadas. Achamos que conseguimos vencer isso tomando mais vitaminas, voltando a fazer exercícios ou tomando mais café. O problema é que não estamos descansando. Temos coisas demais a fazer. Porém, não precisamos viver desse jeito. Assim como o relato da criação em Gênesis nos mostra que Deus trabalhava, mostra também que Deus descansou.

> Assim, pois, foram acabados os céus e a terra e todo o seu exército. E, havendo Deus terminado

no dia sétimo a sua obra, que fizera, descansou nesse dia de toda a sua obra que tinha feito. E abençoou Deus o dia sétimo e o santificou; porque nele descansou de toda a obra que, como Criador, fizera (Gênesis 2.1–3).

Não é que o Deus eterno e onipotente *precisasse* descansar de seu trabalho. Mas está ali, no relato da criação. Depois de falar à existência de toda a criação, Deus cessou seu trabalho. E, ao fazer isso, modelou para nós um ritmo de labor e descanso.

Morte por Trabalhar Demais

No Japão, existe um termo para o empregado que trabalha demais e morre cedo devido ao estresse relacionado ao trabalho: *karoshi*. Significa, literalmente, "morte por sobrecarga de trabalho". A espetacular ascensão do Japão das cinzas da Segunda Guerra Mundial, chegando a se destacar economicamente, foi à custa de empregados que trabalhavam doze ou mais horas por dia, seis ou sete dias por semana, sem tirar férias. A nação atingiu imenso progresso econômico, mas esse progresso cobrou um preço alto: alguns estudos o associam à maior incidência de doenças cardíacas e cerebrais, bem como à diminuição da expectativa de vida para os homens japoneses.

O escritor de Eclesiastes conhecia a futilidade dessas buscas. Eclesiastes 4.6 diz: "Melhor é um punhado de descanso do que ambas as mãos cheias de trabalho e correr atrás do vento". Trabalhar sem descansar é *karoshi* físico e espiritual. O que quer que estejamos buscando em nossa incessante gana por trabalhar — fama, fortuna, aprovação de outros — vai escorrer por nossos dedos como correr atrás do vento. Não dá para segurar.

A cultura ocidental sabe, há quase dois séculos, que um terço de nosso dia tem de ser destinado ao descanso; um terço ao trabalho; e um terço para viver. Como destaca um recente artigo na revista *Salon*,

> cento e cinquenta anos de pesquisa provam que as longas horas no trabalho matam os lucros, a produtividade e os empregados... cada hora que você trabalha além das 40 horas semanais o torna menos eficiente e menos produtivo, tanto a curto como a longo prazo. Pode parecer estranho, mas é verdade: a coisa mais fácil e rápida que sua companhia pode fazer para aumentar o desempenho de seus empregados e seus lucros — começando agora mesmo, hoje — é tirar todos da esteira de roda-viva de 55 horas por semana, devolvendo-os a um ritmo de 40 horas semanais.[1]

---

[1] "Bring Back the 40-Hour Workweek", Sara Robinson, *Salon magazine*, Postado em 14 mar. 2012. Disponível em: http://www.salon.com/2012/03/14/ bring_back_the_40_hour_work_week.

DESCANSO

Mesmo quando tentamos nos esforçar além da conta, talvez não consigamos fazer muito. Existe somente um ser que consegue fazer tudo de sua lista de coisas a fazer. Esse é o ponto do Salmo 127, que ecoa os temas que encontramos em Eclesiastes:

> Se o SENHOR não edificar a casa, em vão trabalham os que a edificam; se o Senhor não guardar a cidade, em vão vigia a sentinela. Inútil vos será levantar de madrugada, repousar tarde, comer o pão que penosamente granjeastes; aos seus amados ele o dá enquanto dormem (Salmos 127.1–2).

Existe uma leitura alternativa para essa última linha, ainda mais encorajadora: "sim, a seus amados ele dá enquanto dormem".

Como profissional autônoma, eu (Carolyn) tenho tido essa experiência vezes demais para contar — oportunidades em que tinha de encontrar novos trabalhos ou clientes e não tinha nada agendado. Acordava no dia seguinte para encontrar em minha caixa de e-mail um trabalho que eu não havia solicitado. Isso não se limita apenas a nós que somos nossos próprios chefes, mas eu acho que é mais fácil nos conscientizarmos dessa provisão diária quando não temos previsão quanto à fonte de nossa renda.

Também já tive experiência oposta, quando, por causa de necessidades materiais, esforcei-me além dos limites do sono e achava ter conseguindo progredir muito — até que fui revisar meu trabalho depois de ter dormido o suficiente e percebi quanto estava ruim. Foi pura vaidade ficar acordado até tão tarde. (Ai. Essa é a Nora me cutucando, porque isso acontecia enquanto estávamos escrevendo este livro! Ela é a ave que acorda cedo, e eu, a coruja noturna, mas muitos de meus esforços de escrever tarde da noite se mostram incoerentes à luz do dia. Preciso da verdade do meu próprio capítulo, e não sou orgulhosa demais para admitir isso.)

Se reconhecermos a diferença essencial entre Deus e nós, veremos a tolice de ignorar a ordem de Deus de descansar. Tim Challies escreve:

> Lembre-se de seus limites de criação. Grande parte do vício de trabalhar demais representa um desafio aos limites físicos que Deus, nosso criador, impôs sobre nós. Lembre-se de que o Senhor também lançou uma maldição sobre o trabalho. Sabendo que o homem caído acabaria procurando satisfação máxima em seu trabalho, e não *nele*, Deus embutiu os "espinhos e abrolhos e suor do rosto" para fazer o homem sair do trabalho e ir em direção a ele.[2]

Muitas esposas e mães estão bastante cônscias de seus limites como criaturas, mas não conseguem enxergar um fim

---

2 Tim Challies, "Workaholism", de Challies.com blog, publicado em 27 mar. 2012, http://www.challies.com/writings/podcast/workaholism. Transcrito de um podcast em 27 mar. 2012.

DESCANSO

para seu trabalho. Eu (Nora) me sinto exatamente assim. O descanso parece fugir das mães superocupadas. O sono é, no máximo, esporádico, pelas histórias que escuto. Os adolescentes atrapalham suas noites tanto quanto o fazem os pequeninos que mal começaram a andar. Ao ler essa última linha do Salmo 127 — "A seus amados ele dá enquanto dormem" —, você pode até pensar: "Pelas poucas horas que consigo dormir, vai ver que Deus não me ama tanto assim". Mas eis um verdadeiro encorajamento para você: Deus nos prové descanso de espírito pela graça que nos dá. Mesmo em nossa necessidade de criaturas, de descansar, Deus nos atrai a ele para nos sustentar de modo sobrenatural.

Descanso não é mera inatividade. O descanso é restaurativo também. Existem elementos do descanso que são mental e espiritualmente restauradores. Com frequência, os militares se referem ao tempo de folga como "R&R", significando "Repouso e Recreação". A recreação — fazer algo diferente daquilo que fazemos como vocação — pode ser muito relaxante para a mente. Há muitos anos, eu (Carolyn) ouvi uma série de sermões sobre o descanso, e a mensagem sobre a recreação como parte do descanso realmente penetrou em minha mente. Naquele tempo, eu vivia a menos de dez minutos de um grande lago no qual podia praticar esporte com caiaque. Uma hora gasta sobre a água nos domingos à tarde era mais rejuvenescedora do que uma hora extra de sono. Pareciam miniférias. Estar ao ar livre, apreciar a beleza da água, tudo isso representava um forte contraste com a minha vida em um computador no escritório.

O descanso foi feito para restaurar nossa capacidade de trabalho. Se trabalharmos sem descansar, fecharemos a parte criativa em nós, levando toda a nossa capacidade mental a se retrair bem lá no fundo do cérebro, que foi programado para nossa sobrevivência. O sono é importante, mas também são importantes outras atividades restauradoras, como fazer exercícios, consumir alimentos nutritivos, gastar tempo com amigos ou lendo um bom livro. Seguir o modelo de Deus de descanso semanal pode ser a melhor parte da produtividade.

Embora sejamos criados à imagem de Deus, não somos como Deus em sua capacidade ilimitada — somente ele não dormita nem dorme (Salmos 121.4). Assim, neste capítulo, veremos três aspectos do descanso: recursos para o descanso, a marca do descanso e o dom do descanso.

Recursos para o Descanso

Quando pensamos nas pessoas que viviam nos tempos bíblicos, podemos imaginar o cenário estático do nascimento de Cristo na manjedoura, cercada de animais, onde todo mundo está num tablado congelado de descanso perpétuo. Mas essa não era a realidade, certamente não para os israelitas quando eram escravos no Egito. Eles eram afligidos pelo trabalho incessante de fazer tijolos — e sem a

DESCANSO

palha que precisavam para fazê-los. Então, clamaram ao Senhor por alívio e ele os ouviu (Êxodo 2.23–25). Por meio de Moisés, o Senhor os livrou da escravidão e os enviou a uma jornada até "uma terra boa e ampla, terra que mana leite e mel" (Êxodo 3.8).

Mas a viagem era longa e árdua, e os israelitas esqueceram rapidamente as promessas para o futuro que Deus lhes fizera, bem como quão miserável era seu passado. Eles murmuraram que tinham fome no deserto, lembrando com saudades de "quando estávamos sentados junto às panelas de carne e comíamos pão a fartar!" (Êxodo 16.3). Pior, acusaram Moisés de liderança negligente, dizendo: "você nos trouxe aqui ao deserto para fazer toda essa assembleia morrer de fome!".

O Senhor ouviu suas queixas e, então, decidiu "fazer chover pão do céu". Por seis dias, aparecia o maná na superfície do deserto — uma substância em flocos semelhantes a um wafer adocicado. Havia sempre o suficiente para cada pessoa colher duas medidas. Mas, no sétimo dia, não aparecia maná. A porção dobrada de maná que os israelitas colhiam no sexto dia permanecia fresca no sétimo dia — ao contrário do resto da semana — para que eles pudessem deixar de colher o alimento e descansar. No entanto, nem todas as pessoas acreditavam que a provisão viria conforme Deus prometera.

mulher, cristã e bem-sucedida

> No sétimo dia, saíram alguns do povo para o colher, porém não o acharam. Então, disse o Senhor a Moisés: Até quando recusareis guardar os meus mandamentos e as minhas leis? Considerai que o Senhor vos deu o sábado; por isso, ele, no sexto dia, vos dá pão para dois dias; cada um fique onde está, ninguém saia do seu lugar no sétimo dia. Assim, descansou o povo no sétimo dia (Êxodo 16.27–30).

Depois de inicialmente desobedecer a essas ordens, os israelitas aprenderam uma importante lição sobre o descanso: *Deus proverá os recursos necessários para fazer cessar os trabalhos diários.* Em seu reino, não é preciso trabalhar de modo incessante. Podemos confiar nele para nos prover quando precisamos de uma folga — que promessa incrível! Servimos a um Deus que nos dá propósito para nosso labor e recursos para nosso descanso.

A Marca do Descanso

Existe outro aspecto de descanso que encontramos nesta história. Quando Moisés apresentou os Dez Mandamentos, os israelitas aprenderam que Deus tem mais um propósito para o descanso: *o Sabbath marca o povo de Deus como sendo separado para a sua glória.*

DESCANSO

> Disse mais o SENHOR a Moisés: Tu, pois, falarás aos filhos de Israel e lhes dirás: Certamente, guardareis os meus sábados; pois é sinal entre mim e vós nas vossas gerações; para que saibais que eu sou o Senhor, que vos santifica. Portanto, guardareis o sábado, porque é santo para vós outros; aquele que o profanar morrerá; pois qualquer que nele fizer alguma obra será eliminado do meio do seu povo (Êxodo 31.12-14).

Em forte contraste com as culturas circunvizinhas, onde o trabalho jamais cessava, o Senhor deu a seu povo um dia de descanso. Ele ainda lhes disse a razão: um dia de descanso, o sábado, era um sinal da aliança entre eles e seu Deus. Era uma expressão externa de sua confiança em Deus, uma demonstração física de adoração para aqueles que os observavam. Descansar os diferenciava do modo como o restante do mundo operava.

Esse é o ponto de repreensão de Deus em Isaías 30. Ele diz que o povo havia depositado sua confiança numa aliança com o Egito sem consultá-lo (no *Egito* — justamente onde eles haviam sido escravos!) e não descansou em sua promessa de cuidar deles. Trocaram o descanso e a provisão por opressão e engano.

> Porque assim diz o SENHOR Deus, o Santo de Israel: Em vos converterdes e em sossegardes, está a vossa salvação; na tranquilidade e na confiança, a vossa força, mas não o quisestes. Antes,

> dizeis: Não, sobre cavalos fugiremos; portanto, fugireis; e: Sobre cavalos ligeiros cavalgaremos; sim, ligeiros serão os vossos perseguidores (Isaías 30.15-16).

Por muitos anos, eu tinha um trabalho de arte inscrito com esse versículo, pendurado no lugar em que eu fazia meu culto doméstico. Era uma lembrança visível de que minha força não está em mim, mas em Deus, em quem confio. Descansar é uma escolha de fé — um ato físico de dizer que Deus cumpre o que promete. Esse não é um problema moderno. Conquanto a tecnologia possa ter aumentado as distrações, a quietude e a confiança diante do Senhor, trata-se de uma questão muito antiga. Pode ser que não pensemos que cavalos velozes vão nos salvar, mas nosso modelo de trabalho revela aquilo que *achamos* que vai nos salvar. Mais importante, a marca do descanso demonstra que somos pessoas libertas. A esse respeito, Tim Keller assinala:

> Deus libertou seu povo quando eram escravos no Egito e, em Deuteronômio 5.12-15, Deus associa o sábado à liberdade da escravidão. Qualquer um que trabalhe demais é realmente escravo. Qualquer um que não consiga descansar do trabalho é escravo — da necessidade de sucesso, de uma cultura materialista, de empregadores que exploram o empregado, escravo das expectativas dos pais ou de todas as coisas acima. Esses senhores de escravos abusam de você se não for disciplina-

DESCANSO

do na prática do descanso do sábado. O sábado é uma declaração de liberdade.

Assim, o sábado trata de mais que o descanso externo do corpo; trata do resultado interno da alma. Precisamos descansar da ansiedade e do esforço por trabalhar demais, que realmente é uma tentativa de nos justificar — obter o dinheiro, ou o status, ou a reputação que achamos que devermos ter. Evitar o trabalho em demasia requer descanso profundo na obra acabada de Cristo por nossa salvação (Hebreus 4.1–10). Só então, seremos capazes de "nos afastar" regularmente de nosso trabalho vocacional e descansar.[3]

Afastar-nos do trabalho vocacional pode ser difícil em certos períodos da vida. Eu seria hipócrita se exaltasse as virtudes do descanso no sábado sem confessar que não tive muito descanso enquanto escrevia este livro — pelo menos não quando o prazo para a entrega pairava sobre minha cabeça. De início, eu me sentia condenada pelas minhas próprias palavras enquanto escrevia este capítulo. Mas depois passei a me alegrar em Deus, que permite — e até mesmo ordena — uma saída desse fardo esmagador do trabalho! Assim, para nós que sentimos o mesmo, temos mais um conselho de Tim Keller sobre as estações e os ciclos de descanso:

---

[3] Tim Keller, "Wisdom and Sabbath Rest", publicado em *Q Ideas for the Common Good*, http://www.qideas.org/blog/wisdom-and-sabbath-rest.aspx.

Os ciclos de sábados de Israel, de descanso e trabalho, não incluíam apenas os dias de sábado, mas também os anos sabáticos e até mesmo o Ano de Jubileu, após quarenta e nove anos (Levítico 25.8–11). Esse entendimento é essencial para os trabalhadores no mundo atual. É possível tirar voluntariamente uma estação de trabalho que requeira grandes esforços, longas horas e tempo semanal insuficiente para celebrar nossos sábados. Um médico recém-formado tem de trabalhar muitas horas no programa de residência, por exemplo, e muitas outras carreiras (como em finanças, governo e direito), de modo semelhante, exigem alguma espécie de período inicial de trabalho pesado e intenso. Começar a sua própria empresa ou seguir um grande projeto, como, por exemplo, fazer um filme requerem algo semelhante. Nessas situações, é preciso cuidar para não justificar a sua "falta de sábados" dizendo que está "passando por uma fase"— quando, de fato, essa fase nunca acaba.

Se você tiver de entrar numa dessas estações, ela não deve durar mais que dois ou, no máximo, três anos. Conte com alguém para avaliá-lo ou você ficará preso a um estilo de vida "subsabático", e ficará esgotado. Durante esse período "subsabático", não permita que morram os ritmos de oração, estudo bíblico e culto. Seja criativa, mas inclua esse tempo.[4]

---

4 Ibid.

DESCANSO

O Dom do Descanso

Conforme vimos até aqui, o descanso nos ensina a confiar em Deus para nos prover e nos obriga a parar para cultuar ao Deus que nos dá este descanso. Tais conceitos apontam também para o mais óbvio e importante aspecto do descanso: *é um presente que nos foi dado*, um dom cuja sombra aparece no Antigo Testamento e que foi plenamente cumprido pelo Novo Testamento em duas palavras muito importantes ditas na cruz: "Está consumado".

A maldição sob a qual todo ser humano vive desde que Adão e Eva foram expulsos do Jardim do Éden foi revertida sob a obra expiadora de Jesus quando ele foi pendurado na cruz e morto por nossos pecados. O trabalho mais importante que poderíamos desejar realizar seria ganhar o caminho de volta ao favor de Deus. Mas isso é totalmente impossível porque "todos pecaram e destituídos estão da glória de Deus" (Romanos 3.23). Não existe nenhum modo de trabalharmos bastante a ponto de obter nossa readmissão no paraíso.

Mas Jesus pôde! Seu trabalho foi perfeitamente aceito pelo Pai e ele o compartilha livremente com aqueles que creem ser ele suficiente. O descanso nesta era e na era vindoura são dádivas de um Deus misericordioso que não despreza a justiça, mas em justiça derramou a sua ira sobre seu Filho perfeito, que se tornou nosso substituto, tomando o castigo que nós merecíamos. Se pensarmos que qualquer outra coisa seja aceitável ao Pai, estaremos seriamente enganados.

Foi isso que Jesus demonstrou ao realizar suas boas obras no sábado. Ele curou o homem de mão ressequida, a mulher encurvada, o homem hidrópico, o paralítico no Tanque de Betesda e o cego de nascença, tudo no sábado. Ao fazer isso, ressaltava para aqueles julgadores que o observavam: *a obediência humana não é que torna santo o sábado. Jesus é o Senhor do sábado* e ele o dá a seu povo, assim como ele dá o descanso máximo ao nos justificar de nossos pecados.

> Vinde a mim, todos os que estais cansados e sobrecarregados, e eu vos aliviarei. Tomai sobre vós o meu jugo e aprendei de mim, porque sou manso e humilde de coração, e achareis descanso para a vossa alma. Porque o meu jugo é suave, e o meu fardo é leve (Mateus 11.28–30).

Jesus nos chama, prometendo o descanso de que necessitamos por toda a eternidade. Ao tomarmos o seu "jugo", aprenderemos com ele, andando na provisão que ele dá para o trabalho e para o descanso nesta vida, e nos alegrando em sua humildade, que o fez disposto a assumir o nosso lugar na cruz, para que nós pudéssemos entrar em seu descanso por toda a eternidade.

Graças a nosso Senhor e Salvador, "está consumado"!

07 {identidade

Alguns anos atrás, eu falava em um evento de igreja com uma amiga que fora influente advogada da prática de liberdade religiosa. Ela estivera solteira por muitos anos, mas, havia pouco tempo, casara-se e, agora, era mãe de primeira viagem. Ao conversarmos e revermos os anos passados, ela confessou que a transição de ser advogada para ser mãe que fica em casa com o bebê pequeno era muito mais difícil do que ela imaginava ser.

"Por mais que eu ame ser casada e mãe depois de tantos anos solteira, não percebia quanto eu tomava meu trabalho como fonte da minha identidade", disse ela com um sorriso amarelo.

mulher, cristã e bem-sucedida

É muito fácil confundir *o que fazemos com o que somos*. Como disse um sociólogo: "A maioria das pessoas se define por seu trabalho. Quando se aposentam, precisam de uma narrativa sobre quem passam a ser".[1] Existem muitas narrativas que desenvolvemos para nós e a respeito de nós. Em meu escritório, referimo-nos a isso jocosamente como o momento do sapateado. Uma de minhas colegas disse que cresceu achando que era realmente boa ao dançar sapateado. Não havia muito mais em que ela sobressaía na infância, mas sempre podia voltar a falar sobre sua habilidade de dançar para se assegurar do seu valor. Um dia, quando já era adulta, tirou os vídeos do baú para mostrar às suas amigas. Ao assistir, ela teve uma mudança repentina de perspectiva. Sua adorada narrativa sobre ser uma excelente sapateadora foi desafiada pelas evidências que estavam diante dela.

"Fiquei chocada ao ver que, na verdade, eu não era boa coisa nenhuma", disse ela, rindo muito. "Todos esses anos, eu achava que era uma sapateadora razoavelmente decente, mas meu autoengano desmoronou diante da evidência na fita!"

Embora consigamos encontrar coisas que desencadeiam crises de identidade praticamente em qualquer lugar, um dos lugares mais dolorosos é quando as encontramos na

---

1 Jill U. Adams, "Health Effects of Retirement Have Proved Hard for Researchers to Assess", *The Washington Post*, 25 fev. 2013, http://www .washingtonpost.com/national/health-science/health-effects-of-retirement-have-proved-hard-for-researchers-to-assess/2013/02/25/4999e-4f6-698f-11e2-ada3-d86a4806d5ee_story.html.

IDENTIDADE

igreja. As mulheres solteiras conseguem sentir-se competentes durante toda a semana no trabalho e, depois, se sentem deslocadas em igrejas repletas de famílias jovens. Mães jovens conseguem se lembrar de quando sabiam o que estava acontecendo na cultura e no noticiário mundial, mas agora elas ficam por aí aparentemente invisíveis, perto de jovens adultas solteiras que conversam sobre conjuntos musicais, restaurantes e divertimentos que estão na moda. Mães mais velhas sentem-se vazias quando seus adolescentes estão mais interessados nos amigos do que na própria família. Viúvas sentem a perda de sua identidade como esposas e lamentam a perda da vida social que tinham quando faziam parte de um casal. Como a igreja engloba diferentes estágios da vida, podemos nos sentir mais como rótulos demográficos ambulantes do que como mulheres com grande diversidade de experiências de vida.

Qualquer mudança no que fazemos pode desencadear uma crise de identidade — qual é a história que vamos contar agora aos outros a nosso próprio respeito? Embora eu pense que isso seja verdadeiro para os homens, creio que seja diferente, talvez com mais destaque ainda, para as mulheres, porque nossas escolhas em relação à produtividade são mais frequentemente analisadas do que as escolhas dos homens.

Por essa razão, os termos mais divisores talvez sejam os de "mães que trabalham" *versus* "mães que ficam em casa com os filhos". Se tudo fosse apenas uma simples descrição do local da produtividade feminina, seria uma coisa. Mas essas frases estão carregadas de sentimentos de culpa e julgamentos. Por essa razão apreciei uma carta que recebi de uma amiga enquanto escrevia este livro. Pensei muito nela, pois trata não somente da questão de identidade, como também de *como julgamos* as escolhas de outras pessoas:

> Sou uma mãe que trabalha fora já há uns dois anos. Não foi algo que eu *sequer* imaginei que fosse acontecer. Passei de mãe que dava aulas para sete filhos em casa a uma avó de onze que está trabalhando pela primeira vez em décadas! Embora Deus tenha sido bondoso ao me proteger da justiça própria e do senso de superioridade em relação a mães que trabalham fora de casa (ter uma irmã que é mãe solteira e dá duro no trabalho ajuda nisso!), tenho experimentado, no decorrer dos últimos dois anos, uma graciosa convicção de que estava errada, pois Deus tem me permitido conhecer mães dedicadas e amáveis que nunca ensinaram seus filhos em casa nem permaneceram em suas casas o tempo todo com eles, mas os AMAM tanto quanto eu amo os meus. Eu sabia disso "intelectualmente", mas agora tenho visto isso, observado de perto, e estou convencida do erro das atitudes sutilmente condescendentes que eu tinha em relação às mães que trabalham fora.

IDENTIDADE

Por mais que as mudanças desafiem nossa própria identidade, o tempo e a experiência frequentemente modificam nossa perspectiva quanto à identidade das outras pessoas também. Existe uma mudança de perspectiva ainda mais importante quanto à identidade que Jesus nos oferece.

A Seus Pés

Tenho uma foto muito estranha, um registro do momento em que o saltador austríaco Felix Baumgartner olhou para a Terra de sua cápsula a 125 mil pés acima de nosso planeta. Estava a alguns instantes de aterrissar, em uma velocidade supersônica. Meu estômago se revirou diante da ideia de alguém estar naquela altura, mas eu não consegui tirar os olhos da tela daquele evento ao vivo. Estava paralisada diante da perspectiva que ele tinha. Todas as nossas lutas, nossos conflitos, avareza e pecado pareciam estar pacificamente apagados de seu campo de visão. Mas ele estava prestes a se lançar diretamente no meio dela.

Não precisa ser audaciosa a esse ponto para mudar sua perspectiva. Certa vez, Jesus ofereceu a duas mulheres um escape de seus pontos de vista presos à terra. Sim, você conhece a história — vou lhes mostrar nossas duas meninas: Maria e Marta. Mas não vou mandar que você seja mais contemplativa/tranquila/dedicada ou menos atarefada/administradora/rabugenta (está certo, talvez menos rabugenta). Também não vou lhe oferecer dicas para gerenciar melhor seu tempo a partir da situação dessas irmãs. Quero apenas que você considere a mudança de perspectiva que Jesus lhes entregou naquele dia — igualmente para homens e mulheres.

Segundo o relato de Lucas, Jesus acabara de destacar a questão de identidade com a história do Bom Samaritano. Um intérprete da Lei o desafiara sobre o vizinho que ele deveria amar como a si mesmo (Lucas 10.29), e Jesus lhe entregou um samaritano misericordioso, de um grupo étnico desprezado, que vivia ali por perto. Então, "indo eles de caminho", Jesus os levou à casa de Marta e Maria. Marta imediatamente começou a tomar providências na condição de anfitriã de Jesus e seus discípulos. Mas Maria ficou aos seus pés junto com os homens, escutando Jesus, que instruía seus discípulos. Diferente da maioria dos rabinos de seu tempo, Jesus não somente permitiu que uma mulher aprendesse as Escrituras, como também disse a todos os presentes que essa era a coisa mais sábia que Maria poderia fazer —"Maria, pois, escolheu a boa parte, e esta não lhe será tirada" (v. 42).

Não há menção a maridos para qualquer das duas mulheres. Também não há alusão a filhos. Talvez elas já os tivessem. Talvez viesse a tê-los no futuro. Também não há menções à sua posição, por riqueza, ligações sociais ou habilidades de trabalho. Sua única identidade mais importante era aquela que existiria para sempre: seguidora de Cristo.

IDENTIDADE

Essa é a identidade que precisamos afirmar entre nós, e não os rótulos que vêm com a espécie de trabalho que fazemos. Como cristãs, temos de nos basear nessa identidade, mesmo quando acrescentamos outros papéis e modos de expressar essa identidade em relação aos outros. Talvez tenhamos um trabalho interessante por certo período. Talvez estejamos casadas por um tempo. Podemos ter filhos em casa por algum tempo. *Mas essas coisas podem ser tiradas de nós ou nunca nos ser dadas. São presentes apenas para esta vida.*

Jesus prometeu que, se optarmos por nos sentar a seus pés, teremos feito a melhor escolha de todas. Herdaremos a melhor parte, a que jamais nos será tirada: um relacionamento com Deus, com sua Palavra, e a promessa de recompensas eternas e vida com ele no céu. Numa simples frase, Jesus altera nossa perspectiva presa à terra e nos conduz para o alto, acima de nossa vida cotidiana, para vermos a importância de sermos seus discípulos.

A Sovela na Minha Orelha

Olhando de fora, a profissão de produtora de filmes pode parecer glamourosa. Mas a maioria das pessoas não tem ideia de quantas horas minhas costas ficam coladas a uma cadeira, editando as falas, transcrevendo entrevistas, pagando contas e redigindo e-mails exaustivos após a meia-noite. Parece glamourosa porque nossa cultura aplaude as profissões criativas. Porém, se você pudesse assistir ao lapso diário no tempo gasto em minhas atividades no escritório, ficaria totalmente paralisada.

Embora muitas pessoas reajam com entusiasmo ao que faço profissionalmente, quando digo que sou cristã, apenas algumas ficam animadas. Outras tentam se afastar, evitando contato visual, para a possibilidade de eu tentar convertê-las logo de cara.

Imagino as reações se eu continuasse e usasse uma das descrições que Deus tem para mim nas Escrituras. Outrora eu era escrava do pecado e agora sou escrava de Cristo, termo que os escritores das epístolas frequentemente usavam no prólogo de suas cartas (Romanos 1.1; 2 Timóteo 2.24; Tito 1.1; Tiago 1.1; 2 Pedro 1.1). Escravidão é um termo horrível — e por uma boa razão. É um aspecto terrível de nossa história política e um flagelo contemporâneo em muitas nações por todo o mundo. No entanto, a visão da Bíblia sobre a escravidão não é exatamente a mesma que nosso entendimento de trabalho forçado. A Bíblia fala de escravidão mais em termos de propriedade: quem ou o que é seu dono? O que tem dominado você?

No Antigo Testamento, existe um mandamento aparentemente sem sentido no que diz respeito a escravos, encontrado tanto em Deuteronômio 15 como em Êxodo 21. Vejamos:

IDENTIDADE

> Quando um de teus irmãos, hebreu ou hebreia, te for vendido, seis anos servir-te-á, mas, no sétimo, o despedirás forro. E, quando de ti o despedires forro, não o deixarás ir vazio. Liberalmente, lhe fornecerás do teu rebanho, da tua eira e do teu lagar; daquilo com que o SENHOR, teu Deus, te houver abençoado, lhe darás. Lembrar-te-ás de que foste servo na terra do Egito e de que o SENHOR, teu Deus, te remiu; pelo que, hoje, isso te ordeno. Se, porém, ele te disser: Não sairei de ti; porquanto te ama, a ti e a tua casa, por estar bem contigo, então, tomarás uma sovela e lhe furarás a orelha, na porta, e será para sempre teu servo; e também assim farás à tua serva. Não pareça aos teus olhos duro o despedi-lo forro; pois seis anos te serviu por metade do salário do jornaleiro; assim, o SENHOR, teu Deus, te abençoará em tudo o que fizeres (Deuteronômio 15.12–18).

A ideia aqui era que, quando outro hebreu estivesse em tempos financeiramente difíceis, sua única vantagem, seu único bem, era sua capacidade de trabalho. Desse modo, ele ou ela podiam ser vendidos como escravo a outro hebreu, mas somente por um período determinado — a não ser que quisessem permanecer como escravos. Embora se reconheça a condição de alguém que seja bem tratado *escolher* continuar em servidão permanente, não conheço nenhum documento na Bíblia ou em outra obra histórica em que alguém tivesse escolhido fazer isso.

mulher, cristã e bem-sucedida

Por que o Espírito Santo inspiraria um mandamento desse tipo? Porque nos aponta para Jesus. Em Filipenses 2.7-8, lemos que Jesus "a si mesmo se esvaziou, assumindo a forma de servo, tornando-se em semelhança de homens; e, reconhecido em figura humana, a si mesmo se humilhou, tornando-se obediente até à morte e morte de cruz". Jesus escolheu a posição de escravo a fim de resgatar a todos nós que estamos escravizados a nossos pecados e paixões, e nos dar nova identidade como *seus* escravos. Mesmo que ser escravo de Cristo seja muito mais do que merecemos, sua abundância não cessa aí. Efésios nos fala de uma identidade ainda maior como filhos adotivos: "e em amor nos predestinou para ele, para a adoção de filhos, por meio de Jesus Cristo, segundo o beneplácito de sua vontade, para louvor da glória de sua graça, que ele nos concedeu gratuitamente no Amado" (Efésios 1.4-6).

Melhor que um mestre benevolente, temos um Pai amoroso que nos adotou e nos tornou coerdeiros com Cristo. Nossa nova identidade passa de escravos a herdeiros, e engloba todos os benefícios relacionados.

A sovela em minha orelha, então, é uma joia sem preço, incomparável. Ela me marca como sendo dele, e empalidece diante de qualquer outra identificação que eu possa usar. Hoje, podemos nos esforçar bastante como donas de casa ou médicas, amando e servindo ao próximo como mães ou irmãs, mas os papéis que assumimos nos relacionamentos com outras pessoas não são a nossa identidade máxima.

IDENTIDADE

Você ou eu podemos hoje ser chefes, mas, um dia no futuro, isso vai mudar. O que não muda é a identidade que Cristo nos deu mediante seu plano divino de resgate.

É essa a melhor parte, e ela jamais nos será tirada.

Investir no Eterno

Tenho uma amiga que é artista. Em minha casa, possuo diversos quadros pintados por Heather — trabalhos que encomendei por desejar ter um de seus originais. Mas, com frequência, Heather luta com sua identidade de artista. Seu círculo de amigos especializados em artes passou a fazer coisas impressionantes e muito legais no mundo artístico — à exceção dela e de mais uma amiga, também uma jovem mãe ocupada com a família. Algumas vezes, Heather fica desanimada com isso, mesmo que seu marido a encoraje a pintar no estúdio em casa e garanta que ela reserve tempo para isso. Heather também é professora de Belas-Artes, ocupando-se em inspirar a próxima geração a amar a criatividade. Quando ela pensa no que seus colegas de faculdade já realizaram, isso não lhe parece tão importante.

Ouço isso de muitos artistas. A identidade de artista parece ser maior e sufocar quaisquer outras. Mas espere. Ouço o mesmo de meus amigos no campo da medicina. A identidade do cirurgião parece ser muito mais importante que os demais rótulos. Ah, existe também o designer — gráfico, industrial, de moda ou de interiores —, e essa identidade também parece prevalecer. Não vamos nos esquecer do chef. Ou de Washington, D.C., onde as pessoas que ocupam cargos elevados são assim referidas, como senadores, membros parlamentares, presidente etc. Você sabe que chegou ao topo quando tem uma grande equipe e estagiários que simplesmente se referem a você pela sua posição (sr. presidente, sra. diretora etc.).

Quando nosso trabalho for a nossa identidade, qualquer mudança pode abalar esse senso. A comparação com as outras pessoas pode nos forçar a maximizar a própria identidade. Todos nós sentimos isso; é o anseio por significado, por ser conhecido e reconhecido, por ter nossos esforços e realizações validados. Isso não é novidade. O autor de Eclesiastes já via essa situação:

> Então, vi que todo trabalho e toda destreza em obras provêm da inveja do homem contra o seu próximo. Também isto é vaidade e correr atrás do vento" (Eclesiastes 4.4).

A versão do Novo Testamento desse entendimento vem de 1 Timóteo 6.6-7:

> De fato, grande fonte de lucro é a piedade com o contentamento. Porque nada temos trazido para o mundo, nem coisa alguma podemos levar dele.

IDENTIDADE

Nosso pastor diz que Eclesiastes desafia a busca por sucesso. Não podemos justificar nossa existência por aquilo que *fazemos*. Não podemos justificá-la por meio de uma promoção, um enorme bônus ou a capacidade de alimentar a família só com comida orgânica. Você não pode justificar sua existência por meio de seus cartões de boas festas ou pela palestra que deu e foi bem recebida. Não se pode justificar sua identidade pelos imensos seguidores no *Twitter* ou pelo seu blog de mamãe ideal. Essas tentativas de alcançar alguma medida de sucesso são vaidade, conforme diz Eclesiastes.

Ansiamos pela perfeição — em nosso trabalho e no que somos. Isso só é possível por meio de Jesus — Jesus teve uma vida perfeita que nós não conseguimos ter, pagou a pena de nossos pecados, o que era impossível para nós, e ressurgiu da morte para que um dia possamos ressurgir se confiarmos nele para o dom da vida eterna. O que *precisava* ser feito já foi feito!

Até lá, vamos investir. Investimos aquilo que recebemos a fim de multiplicar seus dons para sua glória. Assumir uma atitude de investidor significa que podemos abrir mão da preocupação quanto ao que temos e a quem somos no momento, e em vez disso, viver por aquilo que é eterno. Não para o dia em que formos premiados como Funcionário do Mês. Não para o Dia das Mães, quando, finalmente, teremos no colo nosso bebê. Não para o dia em que flutuaremos pelo corredor da igreja em direção ao noivo, que é só sorrisos.

mulher, cristã e bem-sucedida

Não para o dia em que nos tornaremos sócios da empresa. Não para o dia em que finalmente poderemos nos aposentar confortavelmente. Jesus diz que o dia pelo qual devemos viver será quando ouvirmos sua voz: "Muito bem, servo bom e fiel".

> Pois será como um homem que, ausentando-se do país, chamou os seus servos e lhes confiou os seus bens. A um deu cinco talentos, a outro, dois e a outro, um, a cada um segundo a sua própria capacidade; e, então, partiu. O que recebera cinco talentos saiu imediatamente a negociar com eles e ganhou outros cinco. Do mesmo modo, o que recebera dois ganhou outros dois. Mas o que recebera um, saindo, abriu uma cova e escondeu o dinheiro do seu senhor. Depois de muito tempo, voltou o senhor daqueles servos e ajustou contas com eles. Então, aproximando-se o que recebera cinco talentos, entregou outros cinco, dizendo: Senhor, confiaste-me cinco talentos; eis aqui outros cinco talentos que ganhei. Disse-lhe o senhor: Muito bem, servo bom e fiel; foste fiel no pouco, sobre o muito te colocarei; entra no gozo do teu senhor. E, aproximando-se também o que recebera dois talentos, disse: Senhor, dois talentos me confiaste; aqui tens outros dois que ganhei. Disse-lhe o senhor: Muito bem, servo bom e fiel; foste fiel no pouco, sobre o muito te colocarei; entra no gozo do teu senhor. Chegando, por fim, o que recebera um talento, disse: Senhor, sabendo que és homem severo, que

> ceifas onde não semeaste e ajuntas onde não espalhaste, receoso, escondi na terra o teu talento; aqui tens o que é teu. Respondeu-lhe, porém, o senhor: Servo mau e negligente, sabias que ceifo onde não semeei e ajunto onde não espalhei? Cumpria, portanto, que entregasses o meu dinheiro aos banqueiros, e eu, ao voltar, receberia com juros o que é meu. Tirai-lhe, pois, o talento e dai-o ao que tem dez. Porque a todo o que tem se lhe dará, e terá em abundância; mas ao que não tem, até o que tem lhe será tirado. E o servo inútil, lançai-o para fora, nas trevas. Ali haverá choro e ranger de dentes (Mateus 25.14–30).

Não se engane com os números modestos. Um talento era o valor de cerca de vinte anos de salário pelo trabalho. Era como ganhar na loteria até mesmo se ganhasse apenas *um* talento. O servo que julgou os motivos e o caráter do mestre com severidade era realmente ingrato e invejoso.

Um ponto a mais a considerar é que vinte anos não é um período de tempo em que se emprestem quantias a lucros de curto prazo. Essa passagem destaca a importância de sermos bons administradores. Assim como uma conta de aposentadoria deve crescer, compondo sobre os juros ganhos, Jesus nos lembra que precisamos investir com fidelidade aquilo que ele nos dá para obtermos lucros em longo prazo no decorrer de nosso tempo de vida.

mulher, cristã e bem-sucedida

A gestão parecerá diferente para as mulheres, mas, em geral, a vida das mulheres também é dividida em ciclos de vinte anos. Crescemos até a maturidade durante os primeiros vinte anos; a maioria de nós casa e tem filhos nos vinte anos seguintes; compartilhamos nossos sucessos e ampliamos nossa influência na comunidade ou no local de trabalho no período do "ninho aberto", dos quarenta aos sessenta anos. (Gosto mais da expressão "ninho aberto" do que "ninho vazio".) Depois focamos em enriquecer nosso legado pelos próximos vinte anos — conceitos que examinaremos na última seção deste livro. Conquanto esse arco de vida não seja exatamente o mesmo para toda mulher — e eu me incluo aqui —, geralmente experimentamos algo parecido com esse modelo. Esses ciclos de vinte anos muitas vezes apresentam novas mudanças em nossa identidade, mas também novas oportunidades de investimento eterno.

Volatilidade Esperada

Voltemos um momento para minha amiga Heather. Da minha perspectiva, ela possui pelo menos dois talentos: sua arte e sua família. De acordo com a parábola, ela prestará contas de ambos. Isso significa, então, que ela terá de dispensar igual atenção às duas coisas o tempo todo? Não penso assim.

Mesmo em termos financeiros, um *portfólio* bem equilibrado apresenta uma combinação de vantagens — investimentos

IDENTIDADE

em *holdings* no longo prazo, ações mais agressivas em curto prazo, produtos que paguem uma renda estável, e assim por diante. A mistura deverá mudar de acordo com a sua linha de tempo. O alvo é possuir valores que não sejam correlatos, significando que não se movem todos na mesma direção ou no mesmo grau, ao mesmo tempo. Assim se procederá para que seus investimentos sejam diversificados. Os consultores financeiros dizem também que, em qualquer *portfólio* usado como poupança para a aposentadoria, devemos conhecer dois números: os retornos esperados e a volatilidade esperada. Ambos afetam o desempenho dos investimentos.

"Volatilidade esperada"— essa é a razão para muitas mulheres reduzirem seus compromissos de trabalho quando têm filhos. Elas sabem que os filhos introduzem maior volatilidade! Assim, talvez durante uma fase da vida de Heather, sua arte terá uma classificação diferente de valores, e se tornará mais destacada no futuro. Se Deus quiser, Heather será tão criativa, ou até mais, quanto era antes, em sua vida no futuro. Isso quer dizer que ela entregou os pontos quanto à arte? Definitivamente, não. Existe o princípio de "retorno esperado" a considerar — aquilo que é considerado como tendo o mais alto retorno recebe maior investimento.

Fica clara a ênfase que a Escritura dá sobre a importância de ser boa mãe. Ser uma artista criativa para a glória de Deus é importante. Mas ser mãe para a glória de Deus é de suma importância. Até mesmo para aquelas entre nós que nunca tivemos filhos. Nossos investimentos na próxima geração, por meio dos filhos que nos foram dados como sobrinhas e sobrinhos ou vizinhos, são muito importantes. Talvez nosso trabalho não seja conhecido em dez anos, mas os filhos em quem investimos o serão (se o Senhor assim quiser). O "retorno esperado" quando se investe em filhos quase não tem preço — é precioso demais para ser medido.

Porém, as manobras entre essas fases a cada vinte anos podem ser turbulentas. Tenho amigas que lutaram na transição para a maternidade, e amigas que lutam na transição de sair da posição materna. (Embora uma amiga me lembre de que ser mãe não acaba quando os filhos saem de casa. Apenas assume contornos diferentes, uma vez que os filhos se tornam adultos.) É por isso que temos de localizar nossa identidade na identidade eterna, a "melhor escolha" que jamais nos será tirada. Isso nos ajuda a formular escolhas sábias para hoje. Será que o "valor" que você possui precisa ser investido hoje, ou pode esperar para outra etapa da vida? Ele precisa apenas de uma cutucada periódica, por assim dizer, para a manutenção do investimento, ou precisa de toda a sua atenção agora mesmo?

Pode ser que você reconheça que isso seja essencialmente o que as feministas discutem como sequenciamento, assunto abordado no Capítulo 2. Até certo ponto, isso é verdade. Mas o sequenciamento, embora seja uma ferramenta prática, não se baseia na perspectiva eterna. Conforme já vimos, a mulher mais recomendada por sua produtividade na Bíblia foi elogiada por temer o Senhor (Provérbios 31.30).

IDENTIDADE

O sequenciamento pode ser um conceito que nos ajuda a refletir sobre as diversas fases da vida, mas não pode nos apontar para o que é eternamente importante.

Dia do Juízo

Se você já jogou o Jogo da Vida, talvez se lembre de que o jogo termina com o Dia do Juízo, quando todos os seus valores são avaliados — até mesmo seu cônjuge e filhos os tinham valor em dinheiro. (Eu sempre amava esse jogo porque todo mundo tinha de se casar. Para mim, nada de perder a lua de mel!) O fato é que o jogo sempre acaba. Não existe como escapar ao Dia do Juízo.

O problema é que, secretamente, acreditamos que o jogo não vai acabar. Somos surpreendidos quando um capítulo se encerra para nós — quando percebemos que nunca seremos suficientemente boas para atuar como atletas profissionais, ou para ser CEOs, ou para ganhar o Oscar, ou para inventar a próxima ferramenta da vez na mídia social. Talvez até tenhamos ganhado a Diretoria Executiva ou a premiação do Oscar, mas agora está na hora de descer do pódio e deixar que outra pessoa assuma.

Se o jogo da vida que jogamos for para aqui e agora, vamos ficar abaladas. Não há dúvida quanto a isso. Você se lembra dos últimos vinte anos? As horas de escuridão de nossa vida podem ser produtivas se ainda estivermos multiplicando o que temos para a glória de Deus. Talvez não tenhamos muito dinheiro, mas podemos fazer a "oferta da viúva pobre" com grande afeto. Talvez não tenhamos uma carreira em plena atividade, mas temos todo o tempo de uma vida de relacionamentos que ainda carecem de cultivo e cuidado. Talvez não sejamos tão fisicamente ativas, mas podemos curvar a cabeça em oração, intercedendo por pessoas em todo o mundo. Talvez sejamos da "velha guarda", mas temos décadas de histórias sobre um Deus fiel que trabalha em nós a serem compartilhadas com aqueles que estão cansados de fazer o bem.

Nossa identidade está ancorada firmemente em Cristo. Quando gerenciamos outras pessoas, nossa identidade não está em sermos chefes. É a de escrava que sabe quanto é doce trabalhar por Jesus; a de quem procura imitar a bondade de nosso Mestre ressurreto quando tem o privilégio de supervisionar outras pessoas. Quando conseguimos chegar à lista dos best-sellers, nossa identidade não é da Nova Autora da Vez. Somos ainda as mulheres assentadas aos pés de Jesus para ouvir a sua Palavra. Quando conseguimos o contrato vencedor ou atingimos o alvo final, conhecemos aquele que nos deu os talentos a serem aperfeiçoados por meio de nosso trabalho árduo e de muita prática. Quando nosso último filho sai de casa, nossa identidade não é a de quem tem o Ninho Vazio. Ainda somos as mesmas filhas adotivas e coerdeiras com Cristo que éramos enquanto os filhos estavam debaixo de nossos pés. Em uma nova fase, temos de modificar nossa escala de valores e descobrir, em oração, o

IDENTIDADE

que mais deveremos multiplicar. Porém, a parte mais importante de nossa identidade permanece inalterada.

Iniciamos a primeira parte deste livro falando sobre a história do trabalho; agora examinaremos a teologia do trabalho. Temos ainda mais um conceito — ambição — antes de abordar as questões práticas do trabalho. Há uma razão para isso: Nora e eu não podemos dizer a você como dirigir a sua vida. Queremos que saiba o que aconteceu no passado e quais são as questões bíblicas que cercam e definem a produtividade. Não temos um conjunto de regras tamanho único para você.

Exceção única: Sente-se aos pés de Cristo, e não sobre os talentos enterrados que porventura você tenha.

08 {ambição

Sempre fui ambiciosa.

Mas, com frequência, essa ambição se manifestava de uma forma desenfreada, não totalmente fundamentada na realidade.

O Exemplo A é o caso do pônei. Quando eu tinha uns 12 anos, estava desesperada por ter um pônei. Onde eu colocaria o pônei, isso eu não sei. Mas perturbava meus pais diariamente pedindo o equino — até meu pai ter a brilhante ideia de sugerir que eu pesquisasse como eu, uma criança desempregada, poderia gerenciar o cuidado e a alimentação de um animal tão grande. Animada, saí para formular meu primeiríssimo plano empresarial. Voltei com uma proposta

mulher, cristã e bem-sucedida

elaborada de trabalhar em dois empregos (não especificando onde ou quais) para ter como pagar as despesas de um velho sítio de cavalos no qual alojaria e alimentaria o pônei, a mais de três quilômetros da nossa casa. Aparentemente, também planejava alimentar o pônei com capim de todos os quintais onde eu cortaria a grama. Não que eu já tivesse cortado a grama de algum quintal — esse era apenas um pequeno detalhe sem importância. Então eu levaria os pesados sacos de grama cortada sozinha por aqueles três quilômetros para alimentar o cavalo. Acho que, durante o inverno, quando não haveria gramados a ser aparados, o cavalo simplesmente faria regime.

Meu pai, enxergando bem quanto meu planejamento era falho, me derrubou com um gentil comentário: "Ora, você não vê como isso não iria dar certo?". Eu estava inconsolável. Como ele poderia negar meu desejo de ter um cavalo?! Eu queria *taaanto* um pônei.

Todos nós queremos alguma coisa. É o ímpeto por trás da ambição. Mas, nos anos após esse episódio infame, aprendi uma verdade preciosa: nós fomos, na verdade, *criados* desse jeito. Deus nos fez pessoas que possuem desejos.

Imagine o seguinte. Uma mãe se aproximou de Jesus. Ela se ajoelhou e o adorou, mas Jesus sabia que ela vinha com um pedido. "Que queres?", perguntou ele. "Manda", disse ela, "que, no teu reino, estes meus dois filhos se assentem, um à tua direita, e o outro à tua esquerda".

AMBIÇÃO

Jesus respondeu àquele pedido da mãe à procura de palco para os rebentos, dizendo aos filhos: "Não sabeis o que pedis. Podeis vós beber o cálice que estou para beber?". "Podemos", afirmaram eles com grande confiança.

Jesus replicou: "Bebereis o meu cálice; mas o assentar-se à minha direita e à minha esquerda não me compete concedê-lo; é, porém, para aqueles a quem está preparado por meu Pai".

A essa altura, os outros homens do grupo de discípulos ouviram o que estava acontecendo e ficaram indignados com os irmãos. Que *chutzpah* — que audácia! Mas Jesus os chamou e mostrou-lhes uma perspectiva totalmente nova sobre ambição e posições de destaque:

> Então, Jesus, chamando-os, disse: Sabeis que os governadores dos povos os dominam e que os maiorais exercem autoridade sobre eles. Não é assim entre vós; pelo contrário, quem quiser tornar-se grande entre vós, será esse o que vos sirva; e quem quiser ser o primeiro entre vós será vosso servo; tal como o Filho do Homem, que não veio para ser servido, mas para servir e dar a sua vida em resgate por muitos (Mateus 20.25–28).

Jesus não repreendeu ninguém nesse cenário por ser ambicioso. Em vez disso, atingiu o cerne da questão: *Que queres?* Em seguida, instruiu aquele que "quiser tornar-se grande" como exatamente deve proceder. Ou seja, não do jeito que essa mãe queria.

Jesus sabe que temos desejos. Ele veio à terra por isso. O pecado corrompeu nossos impulsos e desejos. Jesus veio redimir essa ruptura e nos dar desejos renovados.

Em outro relato, enquanto ele repreendia os que o perseguiam, Jesus disse:

> Eu não aceito glória que vem dos homens; sei, entretanto, que não tendes em vós o amor de Deus. Eu vim em nome de meu Pai, e não me recebeis; se outro vier em seu próprio nome, certamente, o recebereis. *Como podeis crer, vós os que aceitais glória uns dos outros e, contudo, não procurais a glória que vem do Deus único?* (João 5.41–44, ênfase acrescida)

Não existe meio de cair fora no jogo de glória. A ambição é apenas mais uma forma de expressar esse esforço. Somos todos caçadores de tesouro, ambiciosamente em busca daquilo que valorizamos. Por isso Jesus nos disse para buscar tesouro *permanente*:

> Não acumuleis para vós outros tesouros sobre a terra, onde a traça e a ferrugem corroem e onde ladrões escavam e roubam; mas ajuntai para vós outros tesouros no céu, onde traça nem ferrugem corrói, e onde ladrões não escavam, nem

roubam; porque, onde está o teu tesouro, aí estará também o teu coração (Mateus 6.19–21).

Ele não mandou que deixássemos de ser ambiciosos. Simplesmente disse para pararmos de juntar lixo inútil como aquelas pobres almas mostradas no programa de televisão sobre acumuladores. Vá atrás do ouro, Jesus disse. O verdadeiro ouro!

A Lacuna da Ambição

Quando meu marido (de Nora), Travis, ficava até tarde sentado na cama e falávamos sobre suas ambições, eu me aconchegava na cama e, sinceramente, tentava escutá-lo. Durante dois anos no Arizona, estávamos tentando nos recuperar do fantasma do desemprego; ainda mais, estávamos tentando sair de um trilho que nos levava a dar voltas sem-fim. Quando ele falava de investidores-anjo ou negociação de futuros e me perturbava com ideias para começar empresas na internet, eu sequer entendia como ele ainda poderia mirar um alvo tão alto. Embora Travis fosse ambicioso, eu me sentia decepcionada. Eu achava que não poderia ter mais ambições porque tinha me decepcionado tantas vezes. A maior ambição que eu conseguia ter era a de comprar algum móvel novo.

Certa manhã, a caminho do trabalho, telefonei para minha avó. Todas as minhas mágoas se derramaram junto com uma cascata de lágrimas. Ela escutou sem falar nada e, em seguida, me contou uma de suas histórias.

Ela se casou aos 25 anos — mais tarde do que a maioria das moças na cultura pós-Segunda Guerra Mundial — com meu avô, homem de ambições mistas. Ele era um pianista concertista muito bem preparado, mas disseram-lhe que deixasse para trás esses sonhos, a fim de buscar algo mais prático. Tornou-se, então, economista. Ainda era ambicioso, tendo estudado na Sorbonne em Paris e escrevendo artigos em seu campo de atuação; mas, em uma área, ele não tinha ambição: a carreira da minha avó. Quando eles se casaram, minha avó estudava de noite porque queria ser médica. Ele lhe disse que poderia continuar com os estudos, se ela quisesse, mas teria de escolher entre ser mãe ou médica. Embora minha avó quisesse ser médica, escolheu a maternidade e foi certificada como auxiliar de médico.

Na conversa que tive com ela naquele dia, minha avó me lembrou de que os sonhos sempre têm um preço. Lembrou-me de que eu não era a primeira nem a última pessoa a lutar com as próprias ambições, tampouco a lutar nas tortuosas trilhas de decepções por onde podem nos levar.

Uma famosa líder empresarial, Sheryl Sandberg, diz que existe uma "lacuna de ambição" entre os homens e as mulheres. Ela diz que as mulheres mostram sentimentos negativos quanto à ambição porque o sucesso e a simpatia são correlacionados positivamente aos homens, mas negativamente às mulheres: "Quando um homem se torna mais

AMBIÇÃO

poderoso e bem-sucedido, as pessoas gostam mais dele. À medida que uma mulher vai se tornando mais poderosa e bem-sucedida, as pessoas gostam menos dela".[1]

Sandberg diz que precisamos "nos retrair", mas isso não é fácil, em face da realidade. Eu não estava me esquivando do sucesso e da ambição, mas estava cansada pelo tanto que o trabalho pode ser difícil. Como jovem mulher, eu tinha muitas ambições e grandes sonhos. O que, então, aconteceu?

Comecei a pesquisar um pouco. Li um dos livros do meu marido sobre trabalho e estudei a Bíblia. Conversei com muitas pessoas e naveguei na internet. Foi quando percebi que era verdade — *havia mesmo* uma lacuna em minha ambição. Mas era um problema maior do que não desejar ser CEO em uma companhia. Era muito maior do que o fato de não gostar da minha chefe. Eu não gostava da ideia de ser conhecida como uma mulher ambiciosa.

Descobri que havia uma grande lacuna entre meu conceito de ambição e aquilo que a Bíblia diz a esse respeito. A ambição não é algo só para os homens, não é algo só para os empreendimentos comerciais — é um componente essencial do ser humano. Às vezes, nos círculos da igreja, falamos mais sobre contentamento, que é uma boa coisa, mas que pode minimizar a importância da ambição — de algum

---

[1] Sheryl Sandberg, "Sheryl Sandberg Sees Global 'Ambition Gap' for Women", entrevista gravada em 27 jan. 2012 no Fórum Econômico Mundial. Postado em Bloomberg TV at http://www.bloomberg.com/video/85189956/.

modo, é mais espiritual que os cristãos sejam passivos. Esse mal-entendido me fez andar devagar a ponto de não progredir em nada.

Aprendi que a ambição é realmente o desejo de crescer. Percebi que, para eu obedecer ao chamado de Deus no sentido de ser "fecunda e multiplicar" (Gênesis 1.28), precisava parar de impedir a ambição só por estar com medo de ficar desapontada. A palavra hebraica *pārâ* naquele versículo significa "produzir fruto, crescer, aumentar".[2] É essa a essência da ambição — o desejo de dar um passo à frente, arriscar-se e expandir a vida, em vez de recuar.

Para minha avó, ela não permitiria que as decepções da vida fossem o fim das suas ambições. Quando meu avô resolveu mudar com a família para Lagos, no início dos anos 1960, a fim de trabalhar como economista na nação recém-independente da Nigéria, minha avó encontrou maneiras de utilizar suas habilidades médicas. Foi voluntária em um hospital local, segurando no colo os bebês cujas cabeças estavam achatadas por permanecerem de costas sem nunca ser segurados no colo. Ela alimentava e dava banho nesses pequeninos. Anos mais tarde, ela não parou de contar essa história. E o impacto que ela causou naquele local reflete sua força e a determinação de encontrar saída para suas ambições. Quando não pôde seguir o sonho de cursar medicina, não deixou de cuidar do próximo naquilo que podia

---

2 *Holman Christian Standard Study Bible*. Estudo da Palavra em Gênesis 1.28. *Strong's Hebrew Greek Dictionary*, Hebrew 433, http://www.mystudybible.com. Acesso em 5/9/2012.

AMBIÇÃO

fazer. Em seu cerne, essa é uma definição ampliada de ambição: empurrar para frente, a fim de nos tornarmos frutíferas onde quer que estejamos (*pārâ*).

Ambições Secundárias

Isso significa que qualquer discussão sobre ambição terá de reconhecer que temos mais de um sonho de cada vez. O desafio é priorizar as diversas ambições que temos. Esse é um assunto bastante atual entre os líderes empresariais. Eles observam que a geração Millennial — a que viveu durante a queda do *ponto.com*, o Onze de Setembro e a Grande Recessão — expandiu sua definição de ambição para incluir outros valores mais pessoais. Uma recente pesquisa de opinião sobre essa geração, contudo, contradiz a avaliação de Sandberg sobre a ambição feminina:

> Sessenta e um por cento das mulheres se veem como ambiciosas em comparação a 63% dos homens. Essas jovens mulheres ambiciosas estão procurando meios para suas aspirações profissionais coexistirem com seus valores pessoais. Será que elas não seriam duplamente ambiciosas?[3]

---

3 "Millennials and the Corporate World: Executive Summary", Bentley University of Waltham, MA, http://www.bentley.edu/centers /center-for-women-and-business/millennials-and-corporate-world.

mulher, cristã e bem-sucedida

Ter duas vezes mais ambições, todas competindo por proeminência, não é a solução que sugerimos. Temos de voltar à ideia da ambição cristã. Jesus diz em Mateus 6.33: "Buscai, pois, em primeiro lugar, o seu reino e a sua justiça, e todas estas coisas vos serão acrescentadas".

Essa é uma promessa audaciosa, e o teólogo britânico John Stott nos ajuda a atribuir algum sentido quanto à forma de organizarmos nossas ambições:

> Ambições para si podem até ser bem modestas (ter o suficiente para comer, beber e vestir-se, como no Sermão) ou grandiosas (uma casa maior, um carro mais veloz, um salário mais alto, uma reputação mais ampla, mais poder). Quer sejam modestas quer não, essas são ambições para nós mesmos — *meu* conforto, *minha* riqueza, *meu* status, *meu* poder.
>
> Porém, as ambições para Deus, se forem dignas, jamais serão modestas. Existe algo inerentemente inapropriado em querer para Deus apenas pequenas ambições. Como nos contentar com a possibilidade de ele receber apenas um pouco mais de honra no mundo? Não. Uma vez que estejamos certos quanto ao fato de Deus ser Rei, ansiamos por vê-lo coroado de glória e honra, dando-lhe seu verdadeiro lugar, o lugar supremo. Tornamo-nos ambiciosos por espalhar seu reino e sua justiça por toda parte.
>
> Quando isso for genuinamente nossa ambição dominante, então não somente *todas estas coi-*

AMBIÇÃO

> *sas... serão vossas também* (ou seja, nossas necessidades materiais serão providas), como também não haverá mal em ter ambições secundárias, já que estas serão subservientes à nossa ambição primária e não estarão competindo com ela. *Na verdade, é ali que as ambições secundárias tornam-se saudáveis. Os cristãos devem ansiar por desenvolver seus dons, expandir suas oportunidades, estender sua influência e receber promoções em seu trabalho — não a fim de aumentar o próprio ego ou construir seu própro império, mas para, por meio de tudo que fazem, dar glória a Deus.*[4] (ênfase acrescentada)

A maioria das conversas sobre ambição não se fundamenta na glória de Deus, o que significa que elevamos uma ambição secundária ao lugar principal e brigamos por isso. Seu emprego ou sua família são mais importantes? Para os crentes, ambos são importantes, mas ambos, no final, são vencidos pela grandeza do nome de Deus e o louvor de sua glória. Portanto, essas outras ambições têm de deslizar para segundo plano e encontrar seus contornos mútuos nos propósitos redentores do evangelho.

As mulheres devem ser ambiciosas por *tudo* que vemos na Escritura — nossos trabalhos, chamados, nosso papel especial como portadoras de vida. Até mesmo a feminista Betty Friedan reconheceu a importância desse aspecto da

---

[4] Alister Chapman, *Godly Ambition: John Stott and the Evangelical Movement* (New York: Oxford University Press, 2012), 155.

feminilidade uns vinte anos depois de lançar o movimento americano para a libertação das mulheres:

> Algumas militantes repudiaram todos os aspectos da pessoalidade das mulheres que têm sido e ainda são expressos na família, no lar e no amor. Ao tentar imitar a vida dos homens, elas se ausentaram das experiências que dão fundamentação à vida. Se as mulheres jovens se trancarem nos papéis de homens ambiciosos, não creio que seja uma boa troca. Isso pode ser terrivelmente aprisionador e negador da vida.[5]

Parafraseando a citação de John Stott, as mulheres cristãs devem ser incentivadas a desenvolver seus dons (marido, filhos, dons espirituais), expandir suas oportunidades (profissional e pessoalmente), estender sua influência (na igreja e na comunidade) e ser promovidas no seu trabalho (remunerado ou não), para que em tudo que fizerem possam trazer glória a Deus. O desafio reside em equilibrar essas ambições secundárias quando parecerem estar competindo entre si. Ofereceremos algumas ideias do ciclo de vida nos próximos capítulos, desenvolvendo alguns pensamentos sobre como fazer escolhas sábias enquanto você desenvolve essas ambições secundárias.

---

5 Betty Friedan em uma entrevista de 1981 ao *New York Times* (19 out. 1981). Livros de Nan Robertson "Betty Friedan Ushers In a 'Second Stage'", disponível em http://www.nytimes.com/books/99/05/09/specials/friedan-stage.html.

AMBIÇÃO

Atos Ambiciosos

Na Bíblia, existe uma mulher em particular que fez um trabalho extraordinário em desenvolver sua ambição primária de glorificar o nome de Deus mediante as ambições secundárias de seu trabalho e seu casamento. Tal como o marido, Áquila, Priscila era fabricante de tendas. De acordo com *The Bible Background Commentary*, até esse período, o termo "fazedor de tendas" se aplicava também a todo trabalho de couro em geral. Era uma categoria profissional de artesão que podia ser bastante proveitosa.[6]

Os dois, Priscila e Áquila, têm nomes latinos, mas desconhecemos a origem de Priscila. Talvez ela, como seu marido, proviesse de Pontus, uma cidade na costa sul do Mar Negro (hoje, Turquia moderna). O que sabemos é que eles viviam em Roma até serem forçados a sair por causa de um édito do imperador Cláudio, que expulsou todos os judeus da cidade em 49 d.C. Sabemos também que eles se mudaram para Corinto depois, e foi ali que encontraram o apóstolo Paulo, que também era fazedor de tendas.

O trabalho mútuo deles sustentava os três e permitia que passassem extensas horas conversando enquanto trabalhavam. Durante alguns meses, eles trabalharam e ministraram juntos em Corinto. Como de costume, Paulo foi primeiro com o evangelho à sinagoga de Corinto. Mas, quando sua

---

[6] *The Bible Background Commentary*, 375.

mensagem foi rejeitada, passou a evangelizar os gentios de Corinto e começou a igreja, que se reunia no lar de Priscila.

A certa altura de sua amizade, Paulo diz que Priscila e Áquila "pela minha vida arriscaram a sua própria cabeça" (Romanos 16.4). Esse risco não é especificado, mas pode ter ocorrido quando Priscila e Áquila viajaram com Paulo até Éfeso. Atos 19 conta que Paulo foi violentamente hostilizado por Demétrio, cuja fonte de renda, que consistia em fazer oratórios de prata para a deusa Artemis, estava seriamente ameaçada pela mensagem de Paulo em Éfeso.

Enquanto estavam em Éfeso, Priscila e Áquila encontraram um poderoso orador cuja mensagem era bem-elaborada, mas incompleta. Apolo era judeu, natural de Alexandria, capital do Egito e sede da maior biblioteca do mundo antigo. Provavelmente fazia parte da aristocracia judaica e era bem versado na arte da retórica. Quando Priscila e Áquila notaram a falta de conhecimento de Apolo, calmamente intercederam:

> Nesse meio-tempo, chegou a Éfeso um judeu, natural de Alexandria, chamado Apolo, homem eloquente e poderoso nas Escrituras. Era ele instruído no caminho do Senhor; e, sendo fervoroso de espírito, falava e ensinava com precisão a respeito de Jesus, conhecendo apenas o batismo de João. Ele, pois, começou a falar ousadamente na sinagoga. Ouvindo-o, porém, Priscila e Áquila,

AMBIÇÃO

tomaram-no consigo e, com mais exatidão, lhe expuseram o caminho de Deus (Atos 18.24-26).

É bastante encorajador ver como a parceria de Priscila e Áquila no casamento era vivenciada em sua vocação e no ministério que compartilhavam. Desses relatos, vemos que Priscila foi moldada por sua principal ambição de glorificar a Deus. Isso levou à prosperidade no trabalho, tornando-a suficientemente abastada para ser patrona da igreja, com um lar suficientemente grande para acomodar a jovem igreja de Éfeso e possibilitar que o casal viajasse com Paulo. Sua paixão pela precisão na mensagem do evangelho aliava-se a uma graciosa sabedoria, de modo que sabia ser correto convidar Apolo para sua casa a fim de lhe mostrar, em particular, o que faltava na mensagem que ele pregava. Ela não o envergonhou em público nem buscou um nome maior para si competindo com ele por influência.

Ambições Expressas

O exemplo ambicioso de Priscila não é uma relíquia empoeirada do passado. Nora e eu conhecemos muitas mulheres que têm alvos igualmente ambiciosos. Conhecemos mulheres que trabalham muito só para sustentar os filhos; também conhecemos mulheres que subiram de posição em grandes companhias, nas quais lideram com muita capacidade e destreza. São crentes que trabalham muito para representar uma faceta do caráter de Deus ao mundo que as observa — mulheres cujo labor é diversificado em suas contribuições ao mundo a seu redor, não importa quão pequeno ou grande seja. Temos uma amiga cujos filhos sofrem de uma moléstia rara. Ela, então, criou uma fundação para levantar dinheiro para pesquisas. Esse é um trabalho não remunerado, mas essencial.

Temos diversas amigas que trabalham para organizações de direitos humanos como International Justice Mission (Missão Internacional de Justiça), Shared Hope International (Esperança Internacional Compartilhada) e Jubilee Campaign (Campanha do Jubileu), devido à sua paixão por justiça. Temos amigas que trabalham em organizações de apoio humanitário como Food for the Hungry (Alimentos para os Famintos), World Vision (Visão Mundial), Médicos Sem Fronteiras e Opportunity International (Oportunidade Internacional), porque levam a sério a ordem de Tiago 1.27, no sentido de "cuidar das viúvas e dos órfãos em suas necessidades". Sejam remuneradas ou não, essas mulheres estão trabalhando muito para alcançar alvos ambiciosos para a glória de Deus.

Igualmente importante, Priscila não sofria com a divisão moderna entre "sagrado e secular". Toda a sua vida era integrada em benefício do evangelho. Seu trabalho era um aspecto significativo de sua missão de ajudar a igreja, e o Senhor a abençoou nisso. Como Priscila, a fazedora de tendas, mulheres modernas podem ocupar-se em campos

AMBIÇÃO

que aparentemente não estão relacionados ao ministério, descobrindo que Deus trabalha, por meio de suas ambições secundárias, para o louvor de seu nome. As ambições secundárias são parte essencial da vida. Falaremos disso no restante deste livro.

Quer você esteja pensando em ambição no mercado de trabalho, quer no lar, em qualquer atividade sua, os dizeres de Elisabeth Elliot, bastante citados, ainda são verdadeiros:

> Este trabalho me foi dado para fazer. É, portanto, um dom. Portanto, é um privilégio. Assim, é uma oferta que posso dar a Deus. Assim, deve ser feito com alegria, se for feito para ele. Aqui, e não em outro lugar qualquer, posso aprender o caminho de Deus. Neste trabalho que tenho, e não em outro qualquer, Deus busca fidelidade.[7]

---

7 Embora a origem dessa citação não esteja muito clara, é atribuída a Elliot, e a consistência fala em prol de sua veracidade.

{parte 03}
o ciclo de vida do trabalho

O CICLO DE VIDA DO TRABALHO

Propósito, descanso, identidade e ambição são conceitos que dão forma a como trabalhamos, mas ainda há o enorme desafio de entender como conciliá-los em cada fase da vida. Na seção final deste livro, procuramos aplicar estes e outros conceitos bíblicos às etapas de crescimento, lançar-se na vida adulta, equilibrar a família e a carreira, gerenciar outras pessoas e entrar na fase do "ninho aberto".

Incluímos diversas de nossas histórias nos capítulos que se seguem, bem como as de outras mulheres que conhecemos. Ver como outras pessoas têm aplicado princípios de sabedoria às suas vidas pode nos ajudar, mas essas ilustrações limitadas não são oferecidas como exemplos de tamanho único. Apenas ilustram como algumas mulheres pensaram a respeito dos desafios modernos de produtividade e sucesso, e como trabalharam para encontrar soluções cabíveis a suas circunstâncias, seus dons, suas capacidades e suas responsabilidades individuais.

Enquanto esperamos que você considere essas ideias úteis, sentimo-nos motivadas a lembrá-las de que Deus não se surpreende com os desafios que enfrentamos hoje ao sermos produtivas, no lar ou no trabalho fora dele. Ele dá, por sua vontade e generosidade, a própria sabedoria a todos que pedirem com fé (Tiago 1.5). Esse é o tema geral da seção final deste livro.

09 {crescendo

    Venho de uma longa linhagem de Fazedores de Listas. Minha família tinha listas para tudo — de tarefas domésticas e o que levar para as férias até uma específica que minha mãe fazia para meu pai: "Querido, você pode fazer isso?". A tal lista específica ficava no quadro de giz, na cozinha. Na verdade, continha projetos inteiros, e não apenas tarefas, e essa lista tinha um status semipermanente na cozinha.

    Certo dia, meu pai finalmente concluiu um de seus antigos projetos: pintar a cerca. E eu estivera no quintal "ajudando-o" enquanto ele colocava as tampas nas latas de tinta. Então, corri para dentro, riscando, de forma triunfal, esse item da lista. Alguns minutos mais tarde, ele entrou na cozinha e olhou, frustrado, para o quadro de giz. Protestando contra meu ato impulsivo, pegou o apagador, limpou aquela tarefa que havia sido riscada, e escreveu-a novamente para, em seguida, ele mesmo riscar.

"Esta realização foi *minha*", ele me lembrou severamente, antes de me dirigir um sorriso discreto. "*Você* não deve riscar as coisas da *minha* lista!"

Foi ali que reconheci a alegria de uma tarefa realizada — mesmo quando não sou eu quem a realiza.

A realização é o prêmio psicológico pelo trabalho árduo. Dinheiro é a recompensa tangível pelo trabalho árduo. A influência piedosa é a recompensa espiritual pelo trabalho árduo. Os três elementos são importantes para os filhos aprenderem ainda em tenra idade, e esse é o foco deste capítulo. Embora esperemos que a maioria dos leitores deste e dos capítulos seguintes sejam mães e pais, aplaudimos qualquer menina suficientemente curiosa quanto a seu futuro que venha a ler os conselhos que temos para você no final.

Instruções para uma Vida Sábia

Uma das primeiras coisas que as crianças precisam aprender é que, para Deus, a produtividade é importante. Mas esquecemos que isso começa por nós, e não por elas. As crianças aprendem aquilo que veem modelado pelos adultos.

CRESCENDO

Vemos isso claramente em Provérbios, um livro de sabedoria de pai para filho. O livro de Provérbios enfatiza a importância de se oferecerem conhecimento e instrução aos jovens e às pessoas inexperientes, presumindo que os pais vivam segundo o mesmo padrão que buscam ensinar aos filhos. Por toda essa coletânea dos dizeres dos sábios, encontramos advertências consistentes quanto à preguiça.

> Vai ter com a formiga, ó preguiçoso, considera os seus caminhos e sê sábio. Pois ela, não tendo chefe, nem guarda, nem dominador, no estio, prepara o seu pão, na sega, ajunta o seu mantimento. Ó preguiçoso, até quando ficarás deitado? Quando te levantarás do teu sono? Um pouco para dormir, um pouco para toscanejar, um pouco para encruzar os braços em repouso, assim sobrevirá a tua pobreza como um ladrão, e a tua necessidade, como um homem armado (Provérbios 6.6-11).

> O que trabalha com mão remissa empobrece, mas a mão dos diligentes vem a enriquecer-se. O que ajunta no verão é filho sábio, mas o que dorme na sega é filho que envergonha (Provérbios 10.4-5).

> O que lavra a sua terra será farto de pão, mas o que corre atrás de coisas vãs é falto de senso (Provérbios 12.11).

mulher, cristã e bem-sucedida

> O preguiçoso deseja e nada tem, mas a alma dos diligentes se farta (Provérbios 13.4).

> Vês a um homem perito na sua obra? Perante reis será posto; não entre a plebe (Provérbios 22.29).

Salomão presume que os pais sejam modelos de produtividade, e não de preguiça, e passem a ensinar essa virtude a seus filhos. Quando os filhos são muito novos, gostam de imitar o trabalho que seus pais fazem. Infelizmente, esse interesse e esse entusiasmo parecem chegar ao auge quando suas habilidades ainda estão mais fracas. E, quando os filhos se tornam suficientemente maduros para se mostrar semiproficientes nessas tarefas, perdem a iniciativa natural.

Descobriram que o trabalho pode ser muito difícil.

Tenho nítidas lembranças de seguir meu pai no final das tardes de verão, "ajudando-o" a cortar a grama do quintal. Tenho certeza de que eu atrapalhava mais do que ajudava, e era uma distração para a tarefa que ele tinha em mãos. Quando eu estava por perto *imitando* o trabalho de meu pai, eu me divertia. Mas, tão logo eu me tornava hábil o suficiente para usar a máquina de cortar grama, a atividade perdia a graça. Eu descobrira os espinhos e abrolhos do Paraíso Perdido... e me via desencantada.

Pais e mães não somente devem modelar bons padrões de trabalho, como também devem assumir uma visão de longo prazo quando treinam os filhos a entender o valor do trabalho. A parte mais importante consiste em começar em casa, quando os filhos pequenos estão mais dispostos a trabalhar do que quando se tornam mais habilidosos. De início, essas tarefas não serão feitas do jeito que você quer, mas seu alvo não é ter uma casa incrivelmente limpa ou um gramado bem aparado. O alvo é treinar os filhos a trabalhar. Elogie seus esforços por ajudar, mesmo quando ficam aquém do esperado. Um dia, suas habilidades vão atingir a meta.

Criar filhos que entendam o valor do trabalho duro é um grande esforço. Requer repetição, coerência e determinação. Ao fazermos isso, estamos dando exemplo de um trabalho difícil feito pela fé. Mesmo nas pequenas coisas, como treinar os filhos a guardar os brinquedos, os pais estabelecem a expectativa de que os filhos contribuam, simplesmente por existirem dentro de uma casa. Ser mãe ou pai não significa fazer todo o trabalho por eles. Como ressalta o livro de Provérbios, trata-se de treinar os filhos a rejeitar a preguiça e a trabalhar com afinco para agradar a Deus.

Trabalhando Juntos

Pam tinha quatro filhos pequenos quando foi apresentada a uma série de livros infantis que cativou sua atenção. Quando chegou em casa, vindo de uma exposição de livros, tinha a impressão de que vender esses livros seria algo que ela poderia fazer a partir de seu lar, enquanto criava os fi-

mulher, cristã e bem-sucedida

lhos. Tinha interesse pessoal na leitura e em promover a leitura dos filhos. Depois de conversar com o marido, Bob, lançou sua própria empresa, vendendo esses livros a bibliotecas, escolas e famílias.

Naquela época, o filho mais velho, Michael, tinha 11 anos, e a mais nova, 2. Enquanto a empresa crescia, a família também cresceu. Ela teve o quinto filho enquanto construía a empresa. Mas, desde o início, todo mundo trabalhava nela e todos lucravam com isso. "Estavam envolvidos com muito entusiasmo; amavam os livros", lembra Pam. "Meus filhos eram o melhor porta-voz dos produtos."

"Achávamos que o que a mamãe fazia era muito divertido e queríamos ajudar no que fosse possível", diz Michael. Os filhos aprenderam a atualizar os contatos com os clientes, imprimiam e divulgavam folhetos, preparavam os pacotes e a correspondência, ajudavam no inventário do estoque e até viajavam com Pam para as feiras acadêmicas. Mais tarde, Michael usou seu interesse em computação para desenvolver um *website* para a empresa.

Com o tempo, os filhos desenvolveram suas próprias pequenas empresas. Michael e seu irmão, Sean, começaram vendendo sacos para remover árvores de Natal sem espalhar espinhos por todo lado. Bob encomendou os sacos e pagou por eles. Os meninos iam de porta em porta vendendo os sacos e ficavam com o lucro depois de devolver o dinheiro investido ao pai. Michael também começou um negócio de cortar grama, do qual todos os irmãos mais novos acabaram participando. Seu irmão caçula ainda tem alguns dos mesmos clientes que tinha no passado, vinte anos atrás.

Pam diz que a empresa só ia bem por causa do apoio de toda a família. Bob estava muito envolvido, nos primeiros quatro anos, no que Pam fazia. Ele era a pessoa das ideias, desenvolvendo várias estratégias de vendas e de crescimento. Ele também a ajudava a colocar parâmetros no lugar, para evitar que os negócios tomassem todo o tempo da vida em família. A certa altura, eles até mesmo perguntavam se deveriam parar devido às demandas de uma família crescente e uma empresa em expansão.

Para fazer o trabalho dar certo, Pam e Bob exigiam que os filhos ajudassem em casa. "Uma dica de outra mãe revolucionou minha vida: ensine os filhos a cuidar de suas próprias roupas", diz Pam. "Daquele ponto em diante, esperávamos que eles mesmos lavassem suas roupas uma vez por semana."

A empresa de Pam foi bem-sucedida, e contribuiu com quantia significativa para o orçamento familiar, pagando o ensino médio dos filhos e também a educação superior deles — suplementando as bolsas de estudos que eles ganharam. Seus três filhos mais velhos já estão casados e têm suas próprias famílias e carreiras bem-sucedidas. Como adultos, repetidamente têm agradecido aos pais por lhes terem ensinado o valor do trabalho, exigindo que ganhassem o próprio dinheiro e cuidassem dele. "A iniciativa e a diligência que há muito tempo eles incentivaram em nós continuam a nos beneficiar, como também a nossos empregadores", diz Michael.

Muitos podem olhar, maravilhados, para a experiência de Pam, perguntando: *Como ela conseguiu fazer isso tudo?* Mas Pam é rápida em ressaltar que *ela não fez* tudo isso. Sua tarefa cuidando da casa não foi se acabar fazendo tudo sozinha, mas gerenciar o lar e direcionar o trabalho dos filhos que viviam ali. O mesmo princípio era aplicado à sua empresa.

"Devo dizer sinceramente que havia alguns dias que pareciam cheios demais, e até mesmo caóticos, mas, no todo, nós — toda a família — concordávamos em fazer a empresa dar certo", diz Pam. "Se o caos tivesse sido o modelo, acredito que Bob e eu teríamos concordado em acabar com a empresa."

Mesmo agora, seus filhos adultos e cônjuges falam em criar uma empresa que a família mais extensa possa gerenciar em conjunto. "Até hoje, ainda pensamos em um tipo de empresa familiar que poderia envolver a *todos*. Isso seria muito legal", diz Pam.

Gerenciamento de Talentos

Deus dá aos pais percepção quanto a seus filhos e à forma como trabalham. Alguns filhos encontram muito mais dificuldade de trabalhar e aprender, e demandam mais ensino e atenção. Deus não nos chama apenas para modelar o trabalho árduo; ele também nos conclama a, pacientemente, ensinar os filhos de maneiras que os fortaleçam. Os pais têm de ser humildes no processo de ensinar os filhos a trabalhar duro.

No mundo empresarial, isso se chama "gerenciamento de talentos". É uma parte crucial de nossa tarefa como pais identificar as habilidades específicas, espontâneas, que as crianças têm, usando esse conhecimento para ensinar e motivá-las. Por exemplo, elas são motivadas por louvor? Por recompensa em dinheiro? Pela promessa de uma experiência especial? Use o entendimento que Deus dá sobre a personalidade de seus filhos para recompensar seu trabalho de uma maneira que os atraia.

Por outro lado, também é essencial os pais ensinarem aos filhos seus pontos naturalmente fracos. Eu (Nora) tenho uma amiga cujo filho realmente tem dificuldade com matemática, e ela diz que é duro ver o filho chegar em casa sentindo-se menos inteligente que seus colegas de classe. Como pais, temos a responsabilidade não só de elogiar a força de nossos filhos, como também de lembrá-los de que ninguém é bom em tudo. Em uma cultura que frequentemente despreza a humildade, os pais piedosos devem treinar seus filhos a reconhecer que às vezes simplesmente teremos de admitir nossas fraquezas e nos esforçar mais em alguns aspectos que em outros.

Lembra a minha (Carolyn) história do pônei no capítulo sobre ambição? Quando meu pai leu uma versão antiga desse capítulo, comentou que, naquela época, ele não percebia quanto a minha tenacidade de aborrecer as pessoas poderia ser uma coisa boa a ser cultivada e corretamente direcionada. "Era apenas irritante", disse com uma risada terna. "Eu não tinha problema com o fato de você querer um pônei. Achava até admirável. Mas a *realidade* de se ter um pônei era a parte mais frustrante. Você não entendia quanto possuir um cavalo seria uma responsabilidade enorme para um adulto, quanto mais para uma criança."

Meu pai talvez lastime a própria falta de compreensão, mas Deus deixou claro que eventualmente eu aprenderia a ser realista quando necessitasse. Agora nós dois sabemos que essa ambição tenaz era uma característica necessária para eu iniciar minhas empresas na fase adulta. Concordo que alguns desses negócios teriam sido mais bem-sucedidos se eu tivesse aprendido mais cedo a necessidade de checar a realidade. Eu poderia ter-me beneficiado com o melhor entendimento de meus pontos fortes e de minhas fraquezas.

Melhor que um *Cookie*

De acordo com a história publicada das Girl Scouts (as chamadas bandeirantes), há quase 100 anos a Tropa Azevinho de Muskogee, Oklahoma, foi que primeiro fez *cookies* para vender em uma lanchonete na escola como projeto de serviço. Mas, logo depois, isso se tornou uma oportunidade para levantar fundos para a tropa. Hoje em dia, as bandeirantes promovem a venda de seus biscoitos como uma forma de as meninas aprenderem cinco importantes habilidades: estabelecimento de alvos, tomada de decisões, gerenciamento de dinheiro, habilidade de lidar com as pessoas e ética no trabalho. É por isso que os biscoitos não são vendidos pela internet.

Mas as boas intenções nem sempre dão certo. Enquanto eu escrevia este capítulo, alguém pediu que eu comprasse uma caixa desses deliciosos biscoitos. Fui atendida por uma mãe. Claro que eu fiz a minha encomenda, mas então perguntei gentilmente por que a própria "bandeirante" não havia feito a solicitação. Disseram-me que ela estava ocupada demais. Diferente do movimento escoteiro de tempos passados, o Conselho de Bandeirantes agora instrui as meninas a jamais irem de porta em porta para vender os biscoitos, só os vendendo a amigos e familiares. Com a meta de vender cem caixas, os pais são forçados a ajudar as meninas a atingir a meta.

No entanto, o fato de os pais venderem as caixas de biscoitos também enfraquece o projeto. Não digo isso desprovida de simpatia. Reconheço que existem ocasiões em que temos de selecionar nossas lutas como mães ou pais, focando uma área de cada vez com cada filho, ou haverá tempos em nossa própria vida em que estaremos exauridas em nossa capacidade pessoal e simplesmente não conseguiremos assumir nenhuma atividade a mais no âmbito familiar. No caso específico desses *cookies* das Girl Scouts, a amiga de

mulher, cristã e bem-sucedida

minha mãe é a dirigente da tropa responsável por levantar o dinheiro para o grupo. Sua filha está no penúltimo ano do ensino médio e tem um curso muito pesado. Dada a imensidão de responsabilidades dessa menina, essa mãe está ajudando sua filha a ser estratégica. Ela sentia que o número de caixas de biscoitos que a filha pudesse vender não era tão importante quanto o trabalho de escola que a menina tinha de fazer.

Recomendamos a essa mãe que desse a ênfase correta ao estudo da filha. Os pais exercem grande influência no sucesso educacional dos filhos. Um estudo recente reporta que o envolvimento dos pais é fator mais significativo na carreira acadêmica de um filho do que a qualidade da escola.[1] Embora reconheçamos que a educação acadêmica não é a medida máxima para o sucesso, as estatísticas são claras quanto aos benefícios da educação. De acordo com uma pesquisa recente realizada pelo *U.S. Census Bureau*, o salário médio anual de uma pessoa nos Estados Unidos que tem apenas o diploma do ensino médio será de apenas $27.967 anuais, enquanto aquela com bacharelado é de $47.345 por ano.[2] Embora nem todos possam pagar uma faculdade, isso mostra que existem implicações duradouras para quem persevera e se destaca na educação.

---

[1] North Carolina State University (10 out. 2012). "Parenting more important than schools to academic achievement, study finds". *ScienceDaily*. Republicado em 9 mar. 2013, disponível em http://www.sciencedaily.com/releases/2012/10/121010112540.htm.

[2] U.S. Census Bureau, Current Population Survey, 2010 Annual Social and Economic Supplement, http://www.census.gov/hhes/www/cpstables/032010/perinc/new03_019.htm.

CRESCENDO

Essa é uma questão de administração para a maioria dos norte-americanos, pois, com frequência, é possível financiar o sistema de educação. Um defensor dos direitos globais da educação gratuita observa que as pessoas afortunadas por viver em nações cuja educação fundamental é gratuita pensam que esse é o caso em todo o mundo.[3] Mas não é. Há numerosas nações em desenvolvimento em que as famílias têm de pagar pela escola primária. Isso levou 69 milhões de crianças em todo o mundo a não frequentarem a escola, a maioria na África Subsaariana e no Sudeste Asiático. As Nações Unidas têm traçado como uma das metas do milênio a educação primária universal, o que deve ser alcançado até 2015. No entanto, embora tenha havido progresso significativo, a ONU admite que o estágio atual não é suficiente para atingir esse alvo.[4]

Por isso faz parte da boa criação encorajar os filhos a prosseguir nos estudos. Essa não deve ser somente uma questão de números — notas, prêmios, medalhas ou caixas de *cookies* vendidas. Em uma sociedade obcecada por desempenho, é importante ajudar os filhos a entender o real valor de estudar e aprender. Deslocar a discussão do simples desempenho para uma busca piedosa por excelência confere ao argumento consistência bíblica.

---

3 Citação em UN Special Rapporteur on the Right to Education, Katarina Tomasevski. De seu relatório sobre educação, http://www.katarinatomasevski.com.
4 "Goal 2: Achieve Universal Primary Education", Conferência das Nações Unidas, 20-22 set. 2010, disponível em http://www.un.org/millenniumgoals/pdf/MDG_FS_2_EN.pdf.

Também ajuda a ensinar-lhes que uma das formas como eles aprendem a trabalhar é trabalhando na aquisição de conhecimento e educação.

Esses exemplos (positivos e negativos) não visam aumentar a condenação sobre o que estamos fazendo ou não como pais. Eles foram trazidos apenas com o propósito de vermos como *todos* nós temos de refletir sobre a importância de treinar a próxima geração quanto ao valor do trabalho. Mesmo que você não tenha filhos, ainda faz parte desse processo. Você pode se envolver em programas formais de tutoria, ser voluntária, ajudando o filho de algum amigo com os deveres de casa ou dar apoio financeiro à formação educacional de uma menina de uma nação em desenvolvimento por meio de diversas organizações de combate à pobreza.

Quanto aos pais, o ponto central é que eles têm a responsabilidade de treinar os filhos, mas não estão sozinhos nessa tarefa. Quer você tenha de motivar seu filho, quer tenha de colocar freio sobre ambições do tamanho de um pônei, somente o Espírito Santo vai garantir que haja fruto na vida dele. O Senhor é muito paciente conosco, e trabalha por toda a nossa vida. E faz o mesmo com seus filhos. Ele se provará fiel a ambos, tanto a você como a seu filho.

Para as Meninas

Esta última seção traça um panorama geral para vocês, meninas. Esperamos que vocês estejam lendo isso por desejarem entender por que a produtividade é tão importante para as mulheres. É apenas um painel geral, mas esperamos que ofereça um lugar para começar a entender por que o trabalho é importante, mesmo quando ainda se é muito jovem.

Tomamos emprestado o exemplo das bandeirantes porque elas classificam algumas habilidades importantes para a vida em grandes categorias práticas, como: estabelecer alvos, tomar decisões, gerenciar o dinheiro, desenvolver habilidades com as pessoas e ter ética empresarial. Antes de entrar em cada uma das categorias, queremos acrescentar mais uma: propósito. Assim como ocorre com os adultos, é muito importante saber a razão pela qual trabalhamos. Temos de conhecer nosso propósito no trabalho.

Deus fez o trabalho como algo bom, mas nosso pecado o torna difícil. Contudo, Deus nos fez uma promessa: enquanto o seguirmos e procurarmos nos tornar semelhantes a ele, ele nos renovará à sua imagem, e também renovará nosso trabalho. Deus toma nosso trabalho e o transforma em algo que o glorifica, demonstrando seu amor pelos outros.

Precisamos fazer o trabalho com um propósito maior que apenas realizar a tarefa: queremos ser tão hábeis no trabalho que sejamos convidadas a estar de pé na presença de reis (Provérbios 22.29). Outro texto da Escritura diz que nós, como filhas, devemos ser "como pedras angulares, lavradas como colunas de palácio" (Salmos 144.12). Qualquer coisa que façamos, queremos não apenas que seja bem-feita, como também que seja um trabalho merecedor de um

mulher, cristã e bem-sucedida

palácio. As pessoas acostumadas à ociosidade não ficam de pé diante de reis nem têm forças para defender e sustentar um palácio. Nosso propósito é cumprir o projeto que Deus tem para nós no trabalho, e fazê-lo de modo a dar a Deus toda a glória.

Vamos voltar agora para os *cookies* das bandeirantes — opa, para seus princípios, claro. (Gostaríamos de estar saboreando com você as *chocomentas* geladas!)

Estabelecimento de alvos: Você estabelece alvos? O que a motiva? É motivada por elogios? Por recompensa em dinheiro? Por uma experiência específica? Use o entendimento que Deus lhe dá sobre si mesma, e sobre as coisas que aprende com as outras pessoas a seu próprio respeito, para traçar metas com recompensas significativas. Comece fazendo uma lista de suas prioridades, como, por exemplo, Deus, família, escola, igreja e aspectos pessoais. Em seguida, peça a um adulto que a conheça bem para ajudá-la a estabelecer seus alvos.

Lembre-se de que jamais trabalhamos tanto por alguma coisa que não queremos. Damos duro por aquilo que realmente queremos. Mas nem sempre se trata apenas de recompensa. A motivação externa acaba precisando ser também uma motivação interna — como, por exemplo, riscar algum item da lista ou conseguir pôr em prática uma nova habilidade. Temos de aprender a fazer o trabalho, como, por exemplo, limpar nosso quarto, porque é certo fazer isso.

Precisamos também aprender que, com frequência, um alvo específico será um conjunto de tarefas menores, cada uma com seus próprios alvos — e que gerir o tempo de modo eficaz representa boa parte no êxito de uma meta. Temos de aprender a repartir as grandes metas em tarefas menores com uma linha cronológica para completá-las. Quer o alvo seja aprender a fazer um bolo ou receber a nota máxima em um projeto especial, manejar bem o projeto será uma habilidade aprendida. Não espere até a noite da entrega de seu projeto para a feira de ciências para dividir as tarefas maiores em tarefas menores e mais fáceis de cumprir.

Tomar decisões: Todo mundo precisa de ajuda para tomar decisões. Até hoje, eu (Nora), aos 33 anos (suspiro!), ainda ligo para minha mãe para conversar sobre as coisas. Não importa a idade, as meninas gostam de conversar sobre o que pretendem fazer. Precisamos de ajuda para entender e aplicar a sabedoria bíblica; não podemos fazer isso sozinhas! Se formos deixadas por conta própria, algumas de nós nunca firmam compromissos por medo, enquanto outras simplesmente se atiram em tudo e acabam caindo em um montão de dificuldades. Conversar antes de fazer as coisas ajuda. Se você puder visualizar e descrever o que espera que aconteça, isso pode ajudar a compreender a situação. Algumas vezes, vamos tomar decisões ruins, mas isso também nos ensina uma lição. Como, por exemplo, quando minha mãe deixou que minha irmã estragasse uma fornada toda de *cookies*, para que ela aprendesse a não fugir de uma receita. É importante ler as instruções para não confundir meia colher de chá com meia xícara de chá de sal!

Minha amiga Lauren tem um bom lema para tomar boas decisões: "Faça o que *tem* de ser feito, para poder fazer o que *quer* fazer!". Ela diz ao filho de 8 anos para tomar decisões sábias sobre o que ele vai fazer depois da aula, para garantir que terá algum tempo para se divertir. Além de terminar o dever de casa, ele sabe que tem de alimentar e limpar os cachorros, pegar a correspondência e tirar a mesa do jantar antes de poder brincar. Às vezes ele negocia com a mãe, mas sabe que tem de tomar as próprias decisões. Temos de aprender a tomar boas decisões com base nos alvos que estabelecemos!

Gerenciar o dinheiro: Isso é muito importante. A tentação de gastar muito dinheiro é bem difícil para nós, mulheres. Todas nós experimentamos uma dorzinha na barriga no momento em que saímos de uma loja com coisas na sacola que realmente não precisávamos comprar. Depender de roupas, sapatos e cosméticos não vai nos tornar realmente felizes; essa animação dura pouco, porque, no dia seguinte, teremos outra coisa nova para comprar.

Infelizmente, esses hábitos não desaparecem quando chegamos aos 20 anos. Precisamos de ajuda para aprender, ainda cedo, a criar bons hábitos. Você já fez um orçamento? Tente determinar a quantia de que pode dispor para itens *discricionários* (outra palavra para coisas que você quer, mas não precisa essencialmente), e mantenha-se firme nisso.

CRESCENDO

Gerenciar seu dinheiro é uma habilidade que toda moça precisa ter. Precisamos de habilidades financeiras básicas, como comparar os preços em diversas lojas, equilibrar o talão de cheques, gerenciar o crédito e guardar para o futuro.

Um estudo recente diz que os pais americanos gastam cerca de um terço menos de tempo conversando com os filhos sobre como cuidar do dinheiro que os pais de outros países.[5] Você já conversou com seus pais sobre dinheiro? Não precisa saber de tudo que acontece nas contas bancárias de seus pais, mas, ao conversar com eles a respeito dessas coisas, talvez você aprenda como eles economizam e gastam seu dinheiro.

Não se trata apenas dos $20 que você gasta, mas também dos $20 que poderia economizar. Economizar dinheiro para o futuro não nos parece tão importante agora, mas imagine se você conseguir guardar apenas $20 por mês de seu trabalho como babá. Vinte dólares podem parecer pouco, mas, até você completar 30 anos, poderia ter $5 mil. Acrescentando juros, que é um jeito de descrever como o dinheiro ganha mais dinheiro para você, é um modo de pegar pequenas quantias e torná-las grandes o bastante para realizar seus sonhos — como, por exemplo, comprar um carro.

Habilidades com as pessoas: Podemos resumir isso como: "Drama de adolescente — apenas diga não". De fato, a maior parte das lições mais árduas que as mulheres adul-

---

[5] Robbye Fox, "Teaching Kids About Money", Washington Parent blog, ago. 2012, disponível em http://washingtonparent.com/articles/1208/kids-and-money.php.

tas têm de aprender quando começam a trabalhar poderia ser bem-aproveitada se elas tivessem aprendido a agir corretamente nos dramas de relacionamento na adolescência.

Drama é uma versão reduzida para aquilo que a Bíblia chama de "temor dos homens". É viver pela opinião dos outros, ou com receio de ser rejeitado ou ansiando por aprovação. Embora exista uma curva de aprendizado para se atingir essa espécie de maturidade, encorajamos as moças ainda jovens a pôr em perspectiva as opiniões dos outros — todo mundo, desde aquela que pratica *bullying* na escola até a rainha do baile, fica preso a esse problema. A verdadeira confiança em Deus se expressa na humildade, especialmente no conflito, na disposição de ouvir, na gratidão por aquilo que recebemos, na empatia em relação a quem é de fora e na disposição de fazer perguntas para obter esclarecimento quando nos sentimos confusas em relação a tantos sinais distintos.

Quando somos mais novas, aprendemos certas habilidades pessoais, como dizer "Oi" e "Obrigada". Ao ficarmos mais velhas, aprendemos a conversar com um adulto, a competir nos esportes respeitando os outros e, provavelmente o mais difícil, a resolver conflitos com os amigos.

Finalmente, a fim de criar sólidas habilidades pessoais, é necessário conhecer outras culturas e ter outras experiências. Se você tiver amigos de culturas diferentes da sua, pergunte a eles sobre isso e procure crescer respeitando o jeito como outras pessoas fazem as coisas, ou leia livros sobre o assunto. Enquanto trabalhávamos neste livro, uma jovem corajosa de nome Malala Yousafzai levou um tiro do Talibã no Paquistão, por promover a educação das meninas. Assista a alguns vídeos sobre Malala e outras moças como ela, para aprender que até mesmo as adolescentes podem ficar de pé diante da injustiça e ser ouvidas.

Ética no trabalho: As bandeirantes usam essa frase, mas, como cristãs, a ética trata de desenvolver o caráter formado pela Palavra de Deus. Não mentir, não trapacear, agradecer àqueles que ajudam você, cumprir com o prometido, chegar na hora marcada, fazer seu trabalho de modo oportuno, responder às pessoas que entrarem em contato com você e assim por diante, todos esses são exemplos de caráter na ética de trabalho.

Uma das coisas mais práticas que você pode fazer como jovem mulher é manter uma agenda. Integridade significa que você se compromete com seu tempo e cumpre o que prometeu. Quer utilize um calendário, uma agenda ou um aplicativo em seu celular, ou ainda uma lista em casa, você é responsável por manter seus compromissos. Em um ou outro ponto, todas nós cometemos erros — esquecemos daquela provinha ou ficamos doentes quando marcamos que iríamos cuidar de uma criança, mas, quando temos uma agenda e cumprimos o horário, desenvolvemos uma ética de trabalho que honra Deus e o próximo.

Aprender a discernir a integridade das outras pessoas é quase tão importante quanto ser você mesma uma pessoa íntegra. Uma medida muito simples consiste em, se uma pessoa tem qualquer coisa escondida ou secreta que não esteja exposta à luz (de Deus ou das outras pessoas), provavelmente é algo questionável e representa falta de integridade. Isso se aplica a amigos que fazem escolhas ruins, mas também se aplica aos seus relacionamentos com adultos.

O que acontece se um "pastor da mocidade" manipulador deseja desenvolver "um relacionamento especial" com você que precise ser mantido em segredo? Ou quando seu patrão quer que você se cale quanto ao "caixa dois" no restaurante em que você trabalha? Isso se aplica também ao "agente de modelos" que se aproxima de você no shopping e diz para fazer uma sessão particular de fotografias na casa dele.

É uma lição dura de aprender, mas bastante necessária. Não importa a justificativa que as pessoas dão no contexto de eventuais atividades ocultas, você precisa entender que a atividade justa não precisa ficar escondida.

O que acontece se uma amiga pede que guarde um segredo "pesado", não o revelando a ninguém? Melhor é não prometer silêncio para receber uma confidência, porque a situação do segredo talvez requeira uma ação verdadeira. Se alguém lhe contar sobre ter sofrido abuso ou outras questões que tenham consequências legais, você terá de contar a um adulto. O segredo pode ser algo tão sério a ponto de você não poder tratar do assunto sozinha, sem um conselho. Contudo, frequentemente o segredo é fofoca, e a pessoa que está contando deve ser conduzida a uma solução que não envolva espalhar rumores.

Meninas, nós lhes damos parabéns por estarem lendo isso! Queremos que entendam como ficamos animadas por vocês desejarem aprender a ser mulheres que amam a Deus e seguem seus caminhos, especialmente naquilo que se aplica à produtividade. Incentivamos vocês a irem em frente, e estamos felizes por vermos o que acontece quando vocês põem em prática esses princípios!

Palavras Finais

Igualmente para moças e senhoras, os exemplos deste capítulo não têm por objetivo atribuir mais condenação no que diz respeito ao que você está fazendo ou deixando de fazer. São oferecidos apenas para nos fazer refletir sobre quão pertinente tem sido o treinamento da próxima geração para ser produtiva. Quer você seja jovem ou velha, ainda faz parte desse legado. Como mães ou orientadoras, como filhas ou orientadas, precisamos participar do processo e crescer juntas, a fim de aprender a trabalhar de uma forma produtiva.

Encoraje-se por não estar fazendo isso sozinha. Isaías 40.11 diz: "Como pastor, apascentará o seu rebanho; entre os seus braços recolherá os cordeirinhos e os levará no seio; as que amamentam ele guiará mansamente". Deus promete pastorear o seu povo. Ele é muito paciente conosco, guiando-nos por toda a vida. E ele faz o mesmo por nossos filhos.

10 {entrando na vida adulta

"O que você quer ser quando crescer?"

A vida inteira, você ouviu a mesma pergunta da parte dos adultos. Aos 4 anos, talvez tenha respondido, com toda a confiança, que queria ser bailarina ou astronauta. Aos 14, talvez tenha desejado secretamente ser cantora de sucesso ou uma cirurgiã de renome. Mas não importava quais eram seus sonhos, você vivia em passos idênticos aos de seus iguais, seguindo, em boa parte, os mesmos passos e o mesmo ritmo.

Porém, quando nos tornamos adultas, as marcas previsíveis desaparecem. Fica mais difícil discernir o que é sucesso — e se estamos agindo de um modo adequado.

mulher, cristã e bem-sucedida

O que eu quero ser quando crescer? Décadas mais tarde, ainda estou tentando descobrir. Uma de minhas lembranças mais remotas é de quando escrevi uma pequena peça teatral, arrebanhando minhas amigas e dirigindo a produção; então, eu levava toda a produção de casa em casa, cobrando a entrada de meus vizinhos, que assistiam à apresentação em suas varandas da frente. Não está muito longe do que eu faço hoje em dia — profissionalmente, acabei sendo escritora e diretora. Mas essa é só uma parte da resposta. Eu queria também fazer outras coisas, como ser esposa e mãe, amiga solidária, boa cozinheira e talvez até mesmo conseguir um certificado em mergulho submarino.

Como se marcam *esses* alvos? Se os seus amigos os alcançarem antes, isso quer dizer que você fracassou ou ficou para trás? E se mudar de intenção ao longo do percurso? Isso é possível?

Quando fui contratada em meu primeiro emprego, meu pai me chamou para dar um conselho importante. "Carolyn, você é motivada por estrelas douradas, notas altas e sempre muito feedback", disse ele. "Mas não vai receber essas coisas do seu trabalho. Não espere receber elogios por fazer apenas aquilo que foi contratada para fazer. Se continua sendo paga, vai saber que fez um bom trabalho." Bem-vinda à condição de adulta. Talvez existam muitas escolhas a fazer, de fato, mais decisões do que é possível tomar. Assim, neste capítulo, vamos apenas explorar oito conceitos que nos darão sólido fundamento para uma produtividade bem-sucedida como jovem mulher.

1. Planeje com Antecedência

Conforme vemos, as escolhas que você fizer agora afetarão a trajetória de sua produtividade nas próximas décadas. Nesse estágio, contudo, é difícil entender que você terá de planejar antecipadamente, por causa das dualidades que precisará enfrentar ao ser uma mulher frutífera na criação dos filhos e, simultaneamente, uma mulher economicamente produtiva em uma época na qual essas duas atividades frequentemente são realizadas em lugares distintos. O aspecto mais desafiador disso, emocionalmente falando, é que você tem de cultivar a fé em Deus, para não ficar pressupondo o futuro nem temer o que virá pela frente. Felizmente, a Escritura nos orienta quanto à forma de fazer nossos planos futuros:

> Atendei, agora, vós que dizeis: Hoje ou amanhã, iremos para a cidade tal, e lá passaremos um ano, e negociaremos, e teremos lucros. Vós não sabeis o que sucederá amanhã. Que é a vossa vida? Sois, apenas, como neblina que aparece por instante e logo se dissipa. Em vez disso, devíeis dizer: Se o Senhor quiser, não só viveremos, como também faremos isto ou aquilo. Agora, entretanto, vos jactais das vossas arrogantes pretensões. Toda

jactância semelhante a essa é maligna (Tiago 4.13-16).

Vemos aqui que Tiago não está condenando a pessoa que tem um plano. Está apenas corrigindo aquela que, com arrogância, põe toda a sua *confiança* nesse plano. Planejamento prévio é bom, mas tem de ser feito com o humilde entendimento de que tudo está sujeito à vontade de Deus.

É assim quanto à forma de você antever o futuro. Entre todas as mulheres entrevistadas para escrevermos este livro, não ouvimos nenhuma vez alguém dizer: "Minha vida acabou sendo *exatamente* conforme eu esperava". Mas, do ponto de vista da minha vida de meia-idade, posso lhe assegurar firmemente que haverá muito mais bênçãos do que você consegue imaginar, como também muito mais provações. Mas em tudo a graça de Deus será triunfal. Disso, eu tenho a mais absoluta certeza.

Por ora, a maioria de vocês precisará fazer planos para as dualidades da vida — como vou me sustentar agora e no futuro? O que acontecerá se eu acrescentar marido e filhos a esta vida? E se eu não os tiver e continuar sempre solteira? Minha profissão será algo em que eu possa diminuir o ritmo, se necessário, quando tiver uma família, retomando-a mais tarde? Quais as implicações das dívidas sobre minhas escolhas futuras? Faça essas perguntas para testar suas hipóteses, mas mantenha suas expectativas quanto ao futuro flexíveis.

ENTRANDO NA VIDA ADULTA

Algumas das mulheres mais frustradas que conheço são as que não fizeram esse planejamento em múltiplas opções quando eram mais novas. Mulheres que nunca esperavam continuar solteiras na casa dos 30 anos estão cheias de histórias sobre a falta de planejamento de uma carreira que lhes permitisse juntar suas economias para a aposentadoria ou uma casa própria. Lastimam os anos em que ficaram paradas no tempo quando eram jovens, à espera de algo que ainda não se havia materializado. Por outro lado, vemos mulheres que tiveram carreiras brilhantes na casa de seus 30 anos, mas nunca pensaram em como incorporar as famílias e ficaram sobrecarregadas quando os filhos chegaram.

Assim, faça seus planos, mas também faça bastante pesquisa de mercado enquanto estiver progredindo. Peça uma consultoria a pessoas no campo que você está considerando e, em seguida, pergunte a elas como tem sido o equilíbrio entre trabalho e vida pessoal, e que conselho dariam. Descubra, com seus contatos pessoais e profissionais, o que eles desejariam ter feito de outra maneira quando eram jovens adultos. Leia bastante em sua área de atuação, acompanhando as publicações acadêmicas, a mídia social e o mercado em geral. Peça a sua família e seus amigos conselho no que se refere aos seus pontos fortes e fracos.

Em seguida, ore. Todas as suas melhores pesquisas só a levarão a um plano que *talvez* seja aproveitável, como diz Tiago. Mas a oração fará com que você busque o Senhor no que diz respeito a esses planos, e a humilde dependência nele evitará o orgulhoso gabar-se que Tiago condena.

Mas e se você não for uma pessoa de Tipo A, que faz seus planos com confiança, mas, ao contrário, luta frequentemente para tomar qualquer decisão?

Romanos 14.23 é um versículo para a sua vida — de fato, para todos nós: "Tudo o que não provém de fé é pecado". É assim a tradução ARA. A versão HCSB de língua inglesa, por sua vez, traduz: "Tudo que não provém da convicção é pecado". Noutras palavras, se você fizer alguma coisa para agradar a outras pessoas, ou porque teme a reação delas, ou porque faz você parecer melhor — ou por qualquer outra razão senão a fé de que essa decisão ou esse ato agradem a Deus e consistem na provisão divina para você —, estará, clara e simplesmente, pecando. Suas ambições estão sendo direcionadas para outra coisa que não a glória de Deus.

Isso é realmente importante. Não importa qual seja o seu temperamento, você será provada *praticamente de toda forma* possível em suas decisões futuras. Se não se mantiver firme nesse importante princípio bíblico, vai ficar se debatendo — será incapaz de tomar uma decisão ou vai lamentar decisões tomadas por todas as razões equivocadas. Ancore-se firmemente nessa verdade ao caminhar adiante na vida, e você será poupada de muito sofrimento.

ENTRANDO NA VIDA ADULTA

2. Conheça seu Ponto Focal

Sempre que a minha mãe caprichava mais em sua aparência, dizia que estava *"getting gussied up"* (ficando toda produzida). De acordo com um dicionário, o primeiro uso conhecido dessa expressão idiomática norte-americana foi em 1952.[1] Pode ter sido popularizada pela estrela de tênis daquela época, Gussie Moran.

Em 1949, Gussie Moran resolveu criar para si um nome no prestigioso campeonato de Wimbledon, na Inglaterra — mas não por suas habilidades no tênis. Ela usou calcinhas rendadas, sedutoras, que apareciam por baixo da saia curta, para fazer isso. Os fotógrafos se deitavam no chão para pegar instantâneas, e as escolhas do guarda-roupa de Gussie fizeram os oficiais em Wimbledon e nos Estados Unidos criar novos regulamentos quanto ao que as jogadoras deveriam vestir. Mais tarde, ela passou a usar trajes mais sóbrios nos Jogos Abertos dos Estados Unidos. "Sei que vou decepcionar a multidão, mas não consigo me concentrar no jogo quando as pessoas ficam olhando as minhas calcinhas", disse ela.[2]

Três anos mais tarde, Gussie Moran se aposentou do tênis competitivo. Morreu aos 89 anos, passando seus anos

---

[1] De acordo com o dicionário *Merriam-Webster* online, disponível em http://www.merriam-webster.com/dictionary/gussy%20up.

[2] Obituário de Gussie Moran obituary: "Tennis star's outfits stunned spectators", *The Washington Post*, 23 jan. 2013, B5.

finais sozinha e em completa pobreza. O jornalista de tênis Bud Collins disse: "Acho que ela ficou triste com o fato de seu jogo de tênis não ser o foco, e sim seu traseiro e suas pernas".

A moral da história é que aquilo que você torna o foco de sua vida será sua reputação e seu legado; então, faça escolhas sábias. Nesse estágio da vida, é provável que você esteja em seu auge físico. Você vive numa cultura sexual em que a moda reflete o estético — a carne aparece em tudo. Você terá de decidir onde deseja chamar a atenção.

Você quer que suas habilidades e seu caráter estejam na frente e no centro de tudo, e não o seu corpo. O recato não é somente uma proteção contra o pecado sexual; é uma proteção de seus atributos no trabalho. Quando considerar isso, saiba que, se a sexualidade for seu ponto focal, você será descartada como uma participante séria em praticamente qualquer ambiente de trabalho, porque é apenas uma distração.

Shaunti Feldhahn construiu sua carreira pesquisando a respeito de homens e mulheres, a fim de ajudar a entender nossas diferenças básicas. Em um de seus estudos, constatou que, quando uma apresentadora feminina estava exibindo os seios num decote exagerado ao dar uma palestra que abordava quatro tópicos, a porcentagem dos homens que se lembravam de todos quatro caiu para 25%.[3]

---

3 Shaunti Feldhahn, *For Women Only in the Workplace: What You Need to Know About How Men Think at Work* (Colorado Springs: Multnomah Books, 2011), 193.

ENTRANDO NA VIDA ADULTA

Os homens partem do pressuposto de que as mulheres sabem e entendem o que estão fazendo quando se vestem de maneira provocante. Sentindo-se manipulados pela distração visual, muitos homens veem com menos respeito suas colegas mulheres que se vestem desse jeito. "A mulher é vista com menos sagacidade empresarial, até mesmo imatura, buscando criar vantagem na empresa ao fazer a reunião girar em torno da atração sexual", escreve Feldhahn. Ela, então, cita um executivo sênior que disse: "Quando a mulher chega a uma reunião exibindo um decote ousado, isso, imediatamente, cria uma barreira. A mulher tem de chegar ao ponto de reconhecer que não se trata de sexo; trata-se de uma empresa. Um decote ousado não vai necessariamente acabar com o negócio, mas certamente me fará questionar seu bom senso".[4]

Não é o mesmo que tornar conhecida sua feminilidade. A primeira diretora executiva do Fundo Monetário Internacional (FMI) recebeu o seguinte conselho de sua mãe: *seja atraente, mas não sedutora*. Como chefe do FMI, Christine Lagarde sabe que suas palavras podem abalar os mercados internacionais. Um artigo de jornal disse que Lagarde é classicamente francesa em sua feminilidade, mas faz de sua competência o ponto focal do mundo:

---
4 Ibid., 196.

mulher, cristã e bem-sucedida

> Vários homens descreveram a sua elegância como algo importante, mas não querem que isso soe como provocante ou sexista; diversas mulheres citaram a mesma qualidade, mas insistiam em que não queriam soar como tolas ou frívolas. As echarpes coloridas que ela escolhe, os brincos dourados que ela mesma desenha com uma amiga joalheira e o perfume Hermes floral intoxicante que usa ("Un Jardin sur le Nil") são vistos como notas de graça que acrescentam algo. "Não se trata apenas do vestido Chanel; é a forma como ela se porta dentro do vestido", disse a ex-deputada federal americana Jane Harman. "Ela entrega as mensagens de um modo que as pessoas as escutam. Não é resmungona nem áspera."[5]

Lagarde fez algumas escolhas de maternidade nada convencionais, mas vale a pena considerar sua feminilidade reservada em um papel de liderança global. Conforme Feldhahn cita um executivo de grande corporação: "As mulheres têm a habilidade de ser completamente belas e completamente discretas".[6]

Enfatizamos a modéstia porque acreditamos que sua capacidade deve ser o ponto focal. Como jovem mulher, você ainda estará desenvolvendo sua identidade profissional e

---

[5] Ned Martel, "The Economy of Christine Lagarde", *The Washington Post*, 24 set. 2012, disponível em http://www.washingtonpost.com/politics/the-economy-of-christine-lagarde/2012/09/24/8d5c2b84-cd01-11e1-b7dd-ef7ef87186df_story.html.

[6] Feldhahn, *For Women Only in the Workplace*, 199.

a reputação que a precederá enquanto estiver subindo na carreira.

3. Pague o que Deve

Quando conseguir seu primeiro emprego em tempo integral, é essencial entender que foi contratada para preencher uma posição em uma equipe com uma missão básica: colaborar e sustentar a lucratividade da organização. Você tem um papel a desempenhar nessa missão, mas não é o de estrela. De fato, você terá de provar a todo o resto da equipe que é digna desse papel. Isso se chama pagar o que se deve. Com essa finalidade, precisa saber que ninguém realmente se importa com quanto você se sente realizada — ou não — nesse papel. Não se trata de você, mas da organização em que trabalha.

Embora minha companhia de filmes seja bem pequena, não é raro receber currículos não solicitados. A maioria chega acompanhada de cartas sinceras, explicando quanto o candidato ama cinema, como cresceu assistindo a filmes e quanto ama viajar; assim, ressalta quanto fazer filmes poderá prover essa oportunidade.

Francamente, descarto essas cartas de pronto. Não me diga como um emprego em minha empresa pode satisfazer todos os seus desejos. Diga-me por que eu preciso de você para minha missão essencial. Então, eu saberei que você compreende o cenário maior e talvez dê uma contribuição significativa. Seu alvo em qualquer emprego novo é descobrir como acrescentar valor. Saiba exatamente como sua posição contribui para a linha básica de produção da companhia.

Esteja preparada. Se não souber, faça perguntas consistentes, mas somente depois de ter feito pesquisa. Nunca faça perguntas a pessoas atarefadas que você não tenha pesquisado antes. Repito: *Não force as outras pessoas a fazer o seu dever de casa.* Os que já estavam trabalhando quando chegou a era digital se maravilham diante da riqueza de informações disponíveis pelas "redes de intercâmbio". Ative seu teclado e faça seu dever de casa, a fim de chegar com questões realmente sagazes, que provem seu valor simplesmente porque você conseguiu visualizar o que seria valioso perguntar.

Mais uma dica extremamente importante: Responda. Como? Responda a seus e-mails. Responda a seus telefonemas. Responda aos convites. Jamais considere uma boa ideia ignorar seu chefe, seus clientes ou seus colegas. Ou qualquer um que esteja querendo dar uma festa, planejar um casamento ou mesmo convidá-la para jantar. Não importa se você "não costuma enviar e-mails" ou "não gosta de falar ao telefone". Dê respostas em tempo oportuno porque isso honra o trabalho e o tempo alheio. Essas poucas práticas a ajudarão a compreender o processo de pagar o que deve, ajudando-a a subir em uma organização.

4. Jogue em sua Posição

Como em qualquer grande time esportivo, é preciso saber qual é o seu papel. Onde você se encaixa? Quem dita as regras? Como o time trabalha? Seu papel é acrescentar valor à empresa. Quem é a pessoa-chave para avaliar essa contribuição? Seu chefe.

Faça seu alvo saber exatamente quais fatores contam nessa avaliação. Não presuma saber se não tiver feito algumas perguntas imprescindíveis, como: Qual é a medida do sucesso na minha posição? Quais são as coisas mais importantes que tenho de entregar? Quais são os marcadores de entrega que preciso atingir? Em que formato e com que frequência você quer feedback de mim? (Alguns chefes querem reportes verbais, outros querem relatórios escritos. Alguns querem atualizações diárias. Alguns preferem atualizações a cada semana. Saiba o que seu chefe espera de você.) Com essa informação em mãos, quando chegar a hora de rever seu desempenho e (espera-se) negociar um aumento de salário, será possível discutir fatos concretos sobre o que já conseguiu realizar.

Isso, contudo, não é fácil. Existem muitas pessoas que ocupam cargos medianos de gerenciamento que lutam para liderar de um modo claro e efetivo. Eu (Nora) tenho trabalhado sob a liderança de diversas chefes difíceis. Uma delas não era engajada com sua equipe, outra era fraca em liderança e outra ainda era uma microgerente temperamental. Meu alvo com cada uma delas era vender-me como jogadora do time, não importando o que eu pensasse da habilidade delas em dirigir a empresa. Isso não é o mesmo que fingir que está tudo bem. Existem princípios bíblicos para o trabalho, como os descritos em Provérbios 25.15: "A longanimidade persuade o príncipe, e a língua branda esmaga ossos". Ao demonstrarmos trabalho duro e em equipe, muitos chefes difíceis podem ser apaziguados, mesmo que suas exigências e seu estilo nos deixem exaustos.

À medida que as estruturas das corporações vão se tornando cada vez mais focadas na equipe, torna-se essencial conhecermos bem nossa posição. Isso envolve entender as próprias responsabilidades e dar seguimento aos compromissos. Se as exigências de seu trabalho não estiverem claras, não tenha medo de pedir as informações necessárias. Só não vá choramingar sobre quanto o trabalho está pesado, a não ser que realmente seja injusto e prolongado.

Jogar em sua posição significa também "jogar bem com as outras pessoas". Provavelmente você aprendeu isso no jardim de infância, e essa ideia é vital para o sucesso no local de trabalho. Os relacionamentos nem sempre são fáceis. Mas não ignore quem são seus colegas de trabalho e suas necessidades. Faça perguntas e seja útil a eles. Só não vá sucumbir ao jogo político no escritório. Uma das coisas mais perigosas é participar de fofocas desregradas com outras pessoas; isso põe em risco seu emprego e seu testemunho cristão.

Eu (Nora) já vi os efeitos negativos da fofoca no local de trabalho e como isso conduz à falta de harmonia numa equipe. Passando por diferentes ciclos de chefes, eu tentava encorajar minhas colegas de trabalho sobre como podíamos, juntas, solucionar os problemas, em vez de acrescentar mais material à produção de mexericos.

Outra forma de fazermos nossa parte é servindo ao próximo. Isso não quer dizer fazer todo o seu trabalho, mas cuidar dele como pessoa. Sempre haverá algumas pessoas com as quais nos damos bem, e outras que teremos de nos esforçar mais para tratar com a dignidade e o respeito que merecem. O esforço vale a pena por duas razões: 1) mostra que você joga no time; e 2) é uma forma de demonstrar o amor de Cristo em seu trabalho.

5. Vá Direto ao Ponto

Um de meus primeiros empregos foi no escritório de uma companhia da *Fortune 50* em Washington, D.C., na área de relações públicas. Estava totalmente abaixo na cadeia hierárquica, sem a mínima ideia da importância disso, e também não sabia que meu único papel era calar a boca e escutar. Meu chefe era vice-presidente executivo de comunicações, e se reportava diretamente ao CEO. Nossa divisão contava com uma cadeia de comando pequena para uma grande companhia multinacional, o que é raro.

mulher, cristã e bem-sucedida

Isso me levou a estar presente em um jantar em viagem de negócios com meu chefe e o chefe dele, no qual demonstrei minha imaturidade ao falar demais. Não percebi nenhum dos sinais até que o vice-presidente executivo deixou muito claro o que eu deveria fazer. Voltando-se para mim, ele me interrompeu bem no meio de uma piadinha, dizendo: "Faça-me o favor de fechar a (xingamento) dessa boca?". Já ouvi variações desse pedido ao longo dos anos, embora nenhuma delas com a mesma clareza. Quero poupá-la de passar pela mesma experiência. Eis uma dica que a tornará muito mais efetiva em suas interações com os homens, tanto nos relacionamentos afetivos como no trabalho: *Vá direto ao ponto*. Quase todas as suas comunicações se beneficiarão sobremaneira se você for diretamente ao ponto. Seus ouvintes sempre poderão pedir mais detalhes se estiverem interessados, mas, se você imprimir uma carga muito pesada à conversa logo de cara, com muitos detalhes, vai despertar, em geral, frustração e impaciência.

"Muitos homens entrevistados descreveram que preferem, logo de cara, a conclusão ou a linha final, porque isso os ajuda a escutar", escreve Feldhahn. "Sem isso, eles acham mais difícil absorver a informação. Um executivo explicou: 'Existe algo no cérebro masculino que deseja conhecer logo o fim da história, para entender por que está escutando aquilo'."

Segundo, quando lhe fazem uma pergunta, responda àquela pergunta específica. Não vá pulando adiante, respondendo *aquilo que você acha* que os homens querem saber. Você pode estar completamente equivocada ao presumir que sabe por que ele está perguntando. Vai evitar muitos conflitos responder com os fatos pertinentes àquela primeira pergunta, antes de tudo. Ainda hoje, luto contra essa tendência, mas pelo menos estou consciente desse meu ponto fraco. Já causei muitos conflitos desnecessários por saltar adiante, para onde achava que alguém estava indo em suas perguntas, respondendo ora defensivamente (nunca uma posição útil a tomar), ora de uma forma confusa.

Embora essa possa ser uma tendência masculina, entendo que, na área de negócios, isso atende aos dois gêneros. O tempo é o bem mais precioso na força de trabalho, porque é o único recurso que não se pode renovar. Os lucros podem ser restaurados, pessoas podem ser substituídas, mas o passar do tempo é implacável.

6. Trate os Conflitos

Em um emprego que tive, meu chefe esperava que o trabalho fosse realizado em tempo hábil, dentro do orçamento e de uma forma excelente. Quando comecei, meu modo de operar era fazer um orçamento, estipular um prazo e pedir desculpas depois. Você quer arriscar qual foi uma das maiores lições que aprendi no trabalho? Sim, a resolução de conflitos. Quando desempenho, reputação, orçamentos e prazos finais se misturam com os de seus colegas, certamente você experimentará conflitos.

A primeira coisa que você precisa saber sobre conflitos no trabalho é que não precisa levá-los para o lado pessoal. Na maior parte do tempo, você terá conflito quanto a um processo, uma tarefa ou uma função. Não se trata de você como pessoa, por mais que sinta assim. Guarde suas reações (e, mais tarde, seus pensamentos a respeito delas) àquela questão específica, e não à história de tudo que já aconteceu. Isso pode representar um desafio especial para as mulheres, pois, em geral, somos mais sociáveis que os homens. É essencial que dividamos em compartimentos o conflito para situações ou exemplos específicos.

A segunda coisa que você precisa saber é que o evangelho realmente nos dá poder e nos equipa com as palavras e a estrutura necessárias para confrontar as pessoas e alcançar a solução. De fato, o processo de resolução de conflitos delineado em Mateus 18 é exatamente o que você precisa ter no trabalho.

> Se teu irmão pecar *contra ti*, vai argui-lo entre ti e ele só. Se ele te ouvir, ganhaste a teu irmão. Se, porém, não te ouvir, toma ainda contigo uma ou duas pessoas, para que, pelo depoimento de duas ou três testemunhas, toda palavra se estabeleça. E, se ele não os atender, dize-o à igreja; e, se re

cusar ouvir também a igreja, considera-o como gentio e publicano (Mateus 18.15–17).

O ponto principal é ir, em particular e diretamente, até aqueles que ofenderam você. Vá com o desejo autêntico de entender o ponto de vista da outra pessoa e ver o problema resolvido. Faça perguntas, prevendo que você mesma talvez esteja errada. Se não conseguir reconciliar-se por si mesma, envolva as pessoas apropriadas. No trabalho, pode ser o seu chefe ou o diretor de recursos humanos. Mas o ponto essencial é envolver apenas aqueles que são ou podem ser parte da solução. Se isso não der certo, você terá de apelar para uma autoridade maior. Mas terá de começar com uma conversa particular. Acrescentar isso à fábrica de fofocas do escritório, contando até mesmo para sua melhor colega, não será uma solução bíblica nem protegerá seu emprego.

O que pode ser difícil de entender é que, às vezes, o conflito é um presente para você vindo de um Pai amoroso. Pode expor suas próprias fraquezas que Deus quer corrigir. Isso nunca será confortável, especialmente quando as fraquezas no escritório são públicas. Mas, quando corretamente tratado, o conflito pode levar à reconciliação e a relacionamentos mais fortes no trabalho. Nossa tendência natural de atacar ou de nos defender, ou então de nos retrair para nos proteger, jamais dará certo. Ter calma e coragem para enfrentar o conflito de frente pode produzir resultados surpreendentes.

mulher, cristã e bem-sucedida

Certa vez, minha amiga Christine telefonou porque estava experimentando conflito no trabalho e se sentia frustrada com a falta de respeito da parte de seus colegas. Ela era líder de equipe entre pessoas iguais — uma das situações de liderança mais delicadas de se viver. Embora seus chefes e clientes regularmente louvassem o trabalho que fazia, ela era frequentemente criticada, pelas costas, por seus colegas, o que fazia com que se sentisse incompetente. Nas reuniões, eles falavam sobre ela e a interrompiam em seus diálogos, e suas ideias eram sempre descartadas. Ela era abertamente criticada por seus colegas, e sua própria equipe solapava sua posição, a despeito de ela se esforçar muito para atingir consenso. Os empregados de nível júnior seguiam o exemplo da equipe e, regularmente, faziam comentários condescendentes. Pior de tudo, isso era feito pelas pessoas que ela deveria liderar. Depois de um tempo, Christine passou a odiar o trabalho. Sua autoridade era truncada, seus colegas não a respeitavam e ela não sabia como melhorar a situação.

Incentivei Christine a falar da situação com seus colegas. Ela devia isso a seu empregador, ou seja, não permitir que essa dinâmica negativa se prolongasse, pois estava prejudicando a produtividade. Tendo em vista a abordagem inicial de conversa particular conforme Mateus 18, sugeri que ela agendasse um cafezinho ou uma reunião particular com cada um de suas colegas, e que começasse a reunião com uma afirmativa adequada: "Estou contente por termos este projeto, e suas habilidades [sejam quais forem] são importantes para nosso sucesso". Mas, em seguida, ela teria de abordar o problema que estavam tendo de um modo caloroso, confiante e não ameaçador: "Pergunto a você: eu o tenho ofendido? Parece que talvez tenha sido isso, com base na situação X. Qual é a sua opinião a respeito disso?". Depois de receber uma resposta, Christine deverá certificar-se de que a outra pessoa sabe que ela está confiante em que a questão pode ser resolvida porque ambas querem os mesmos resultados: "Tenho certeza de que poderemos resolver isso. Estou confiante em que podemos tornar nossa equipe bem-sucedida".

Também adverti Christine a se lembrar de que nenhum dos lados estará completamente certo. Lembrar-se disso facilita assumir os próprios erros — o que contribuiu, da sua parte, para provocar esse conflito. Confie ao Senhor as reações da outra pessoa. Não podemos controlar como ela vai reagir, mas você terá feito o possível para promover a paz. Finalmente, comece a orar por elas. Peça ao Espírito Santo que guarde seu coração da ira contra elas. Se você estiver zangada, será mais difícil realizar esse processo a contento. A oração nos ajuda a evitar que fiquemos zangados. Se não conseguir a solução desejada, continue a marcar com bondade seus limites quanto à conduta nas reuniões e eventos afins. Permita que seu trabalho duro e seu caráter se tornem conhecidos.

A boa-nova é que, quando Christine agiu segundo esses princípios com um dos colegas, viu como Deus é fiel às suas promessas. Seu jeito calmo e sua candura provocaram um pedido imediato de desculpas desse colega, levando a um melhor relacionamento no trabalho.

A resolução de conflitos é um sinal de grande força. É preciso termos maturidade para olhar nos olhos de alguém e perguntar calmamente sobre as tensões ou as ofensas sem nos tornar defensivas. Acima de tudo, é importante nos lembrarmos de que todo conflito é uma oportunidade para que Deus seja glorificado. Não sabemos quanto nossa humildade vai causar impacto para o evangelho.

7. Fique Longe do Precipício Escorregadio do Pecado Sexual

Seu emprego é uma grande oportunidade de ganhar dinheiro e se sustentar, aumentar suas competências, realizar tarefas interessantes... e ficar presa ao pecado sexual. De fato, 85% dos casos amorosos fora do casamento começam no local de trabalho.[7]

Ao começar sua carreira, parta do pressuposto de que você é tão vulnerável quanto qualquer outra pessoa. Estabeleça, agora mesmo, algumas práticas que a ajudarão a manter limites sábios, que honrem a Deus. Primeiro, reconheça que o álcool alimenta muitas escapadas que nunca

---

[7] Lori Hollander, "The Five Truths Every Married Person Should Know about Affairs", post publicado no blog, 21 jul. 2011, disponível em http://www.goodtherapy.org /blog/truths-workplace-affair.

ENTRANDO NA VIDA ADULTA

aconteceriam à luz sóbria do dia. Certa vez, conheci uma mulher que estivera na equipe de um ministério e acabou fazendo a transição para uma grande companhia. Era uma das poucas mulheres em seu escritório, como também uma das únicas pessoas solteiras. Uma viagem de negócios com bebidas demais levou a um encontro desastroso com um de seus colegas casados. À luz do dia, ela ficou horrorizada com o que acontecera — atitude que fugiu totalmente de seu caráter e estragou todos os anos de pureza sexual que havia mantido. Suas decisões equivocadas começaram com o consumo excessivo de álcool. Como as viagens a negócios representam oportunidades para a tentação, pense antes como evitará uma história como a dessa minha amiga.

O psicólogo Dave Carder diz que as pessoas em viagens a negócios "estão em um precipício escorregadio para problemas" quando tomam bebidas alcoólicas e jantam fora de sua cidade: "O segredo é a proteção; a ingestão de álcool acaba com as barreiras; e a disposição acende o estopim".[8] Ao reconhecer os riscos da acessibilidade tarde da noite, uma executiva diz que está sempre no seu quarto de hotel antes das 22h, quando tem de viajar a negócios.[9]

Entenda, de uma vez por todas, que trabalhar junto constrói algum nível de intimidade. As amizades não precisam tornar-se nocivas se você vigiar seus pensamentos

---

8 Gary Stoller, "Infidelity Is in the Air for Road Warriors", *USA Today*, 23 abr. 2007.
9 Diane Paddison, "How to Socialize with Coworkers", 4Word blog, http://www.4wordwomen.org/blog/2012/12/how-to-socialize-with-coworkers.

— e as intimidades que partilha ou recebe. Seja amigável e agradável, mas tenha cuidado com o colega de trabalho casado que quer conversar com você sobre as mazelas de seu casamento e está em busca de conforto e apoio em outro lugar. Em todos os meus anos de trabalho, nunca vi isso levar a nada de bom.

Finalmente, cultive parcerias de responsabilidade mútua e boas amizades fora de seu trabalho, que possam ajudar a perceber as inevitáveis atrações que surgem no local de trabalho. A atração secreta perde muito de sua garra dolorosa quando examinada por amizades racionais que não estejam no ambiente da forca. Todo mundo tem essas atrações e simpatias, mas nós podemos evitar as decepções, as especulações desajeitadas e seus resultados pecaminosos ao fazer com que os outros conheçam nossos pensamentos e sonhos.

8. Invista na Esfera Privada

Ao ingressar na vida adulta, é bom investir em sua carreira. Presumindo que você seja solteira e sem filhos, poderá dedicar mais tempo e esforço no trabalho que em casa. Mas não seja escrava de seu emprego. Você é muito mais que isso. Você pertence a Cristo, e ele valoriza os investimentos que você faz também na esfera privada.

Onde quer que more, você ainda faz parte de uma casa, conforme a Escritura define. Ainda pode exercer domínio sobre sua esfera privada como uma mulher solteira. Considere que você não deve esperar pelo casamento para aprender habilidades domésticas básicas, como preparo de alimentos, lavagem de roupas e limpeza da casa. Não há nada pior do que acordar na manhã de uma reunião importante e descobrir que acabou o xampu, que se esqueceu de pegar a roupa na lavanderia ou que tem de sair para o escritório de estômago vazio porque acabou a comida em casa. O bom gerenciamento da casa é uma característica da mulher piedosa. Você não foi chamada para cuidar de seu lar em benefício próprio, mas a Escritura requer que utilize seu lar em benefício dos outros (especificamente em 1 Timóteo 5.10, como também em Romanos 12.13 e Hebreus 13.2). Não importa como é o seu arranjo de vida, você ainda poderá investir nas vidas que ali são alimentadas — demonstre hospitalidade às colegas de quarto, amigas, vizinhas, amigas da igreja e à família estendida.

Esses anos representam o tempo de aprender a investir também em seus valores e suas prioridades fora do trabalho. Em vez de ser impulsionada por seu horário, considere como está investindo em seus relacionamentos, sua igreja e na Grande Comissão. Em seguida, certifique-se de que sua agenda reserva tempo para o cultivo desses valores.

Considere também o investimento realizado em sua saúde e em seu bem-estar, e torne prioridade o exercício regular, os hábitos saudáveis de sono e o descanso semanal. Os hábitos que você estabelece agora vão ajudá-la no futuro, quando tiver uma família — porque isso se torna mais difícil quando tiver um marido e filhos.

Como mulheres jovens, lembrem-se de que acabaram de ingressar na carreira. As primeiras escolhas que fizerem não serão as últimas. Uma carreira é uma jornada cheia de decisões que fazemos pela fé. Você tem de se lembrar que nem tudo depende de você e que não precisa ter tudo resolvido. "O coração do homem traça o seu caminho, mas o Senhor lhe dirige os passos" (Provérbios 16.9). Ainda estamos tentando entender o que queremos ser quando crescer, mas isso é porque as ambições não valem a pena se não quisermos crescer com elas.

II {o equilíbrio

Eu (Nora) estava atrasada. O trânsito estava péssimo no caminho todo da cidade até o evento no qual eu forneceria o bufê. Mas, pelo meu relógio, eu ainda tinha uns trinta minutos antes de os convidados chegarem. A despeito de estar atrasada, eu só teria de aquecer a comida e colocar tudo na mesa. Achei que conseguiria.

O evento era numa daquelas casas em Washington, D.C., que, por fora, parecem modestas, mas que valem milhões de dólares. O único problema é que ela era dividida em três níveis, e a geladeira do andar térreo era onde ficava tudo aquilo de que eu precisava. Fiz o que qualquer fornecedora de bufê sensata faria: enchi meus braços para subir dois lances de escadas.

mulher, cristã e bem-sucedida

A bandeja de entradas de camarão estava por baixo de tudo, seguida de pilhas de salmão defumado e uma massa *gourmet*. Logo na frente, por cima de tudo, cabia direitinho o pote quadrado de molho de espaguete.

Quando entrei no saguão, virei-me para fechar a porta às minhas costas. Ainda hoje, sinto a horrível sensação. A pilha nos meus braços se movimentou... e o molho de espaguete escorregou da pilha.

Molho vermelho de macarrão e mármore branco não combinam, como você deve imaginar. Aquilo se espalhou para todo lado. Os convidados estavam prestes a chegar, então tentei limpar tudo rapidamente. Provavelmente os clientes encontraram molho debaixo das soleiras e dentro dos cachepôs de plantas ornamentais.

Quando estamos equilibrando a família e uma carreira profissional, a situação pode ficar confusa. Você empilha tudo, esperando que nada caia, causando um desastre real. Bem-vinda à fase denominada "show de equilibrista". Ao entrar na casa dos 30 anos, nossas expectativas já experimentaram alguns reveses. Esperávamos conseguir um ótimo emprego quando saíssemos da faculdade, mas nos encontramos presas a um emprego de nível iniciante. Esperávamos encontrar o cara certo depois de uns dois relacionamentos, mas algumas de nós acabam ficando no circuito de namoro por muito mais tempo. Ou nos casamos e acabamos nos divorciando pouco tempo depois. Esperamos alcançar estabilidade financeira, mas muitos da geração Millennial se deram mal com a mudança abrupta da economia. Algumas de nós voltamos para trás, como os 25% das pessoas entre 20 e 34 anos que voltaram a morar na casa dos pais depois de viver sozinhas, de forma independente (sou culpada duas vezes por isso).[1]

Graça Inesperada

Para Jessica, esse período de sua vida começou como uma mãe feliz por ficar em casa, criando quatro filhos e deleitando-se com a vida doméstica. Então, seu marido abandonou a família, deixando-os financeiramente arrasados. Sem qualquer aviso anterior, Jessica foi lançada no papel de mantenedora da família.

"Cresci pensando que simplesmente me casaria e teria filhos", diz ela. "Quando eu era criança, minha mãe não trabalhava fora. Eu não conhecia nenhuma mãe que trabalhasse fora de casa. Achei que simplesmente eu seria uma mãe que se ocuparia do lar. Jamais tive um plano B, porque achava que não precisaria fazer mais nada. Sinceramente, olhando para trás, gostaria de ter sido mais proativa ao pensar no que poderia fazer profissionalmente".

---

1 Haya El Nasser "Adult kids living at home on the rise across the board", *USA Today*: 8/1/2012, http://usatoday30.usatoday.com/news/nation/story/2012-08-01/boomerang-adults-recession-kids-at-home/56623746/1. Acesso em 17 jan. 2013.

mulher, cristã e bem-sucedida

Hoje, Jessica sustenta a si e sua família com uma empresa de desenho gráfico situada em sua casa, o que lhe permite cuidar dos filhos como mãe sozinha. Ela diz que é difícil: "Tenho de ser muito diligente para colocar cada coisa em seu devido lugar", diz ela. "Tenho um tempo programado para responder aos e-mails, um tempo para conceber as ideias e um tempo agendado para ser mãe. Obviamente, sou mãe durante todo o tempo, mas, em face das pressões financeiras, também poderia trabalhar todo o tempo. Assim, saber a hora que tenho de trabalhar tira a pressão sobre mim durante o meu tempo de ser mãe. Sei quando devo estar no trabalho, de modo que eu possa estar presente também para os meus filhos".

Por meio de duras experiências, Jessica descobriu ainda que tinha uma ideia falaciosa: a de que a graça torna as coisas fáceis. "Aprendi que nem sempre a graça se parece com aquilo que esperaríamos que fosse. Temos de estar bem em relação a isso e não questionar se realmente é graça", diz ela. "A realidade é que é duro ser uma mãe que também tem vida profissional. Sinto-me esgotada e estressada até o limite. Mas Deus tem me sustentado e me dado forças. Tem me dado garra. Olhando para trás, isso parece óbvio. Mas, no meio disso tudo, eu *sentia* a dureza da situação".

Em contraste, Shana cresceu com uma experiência oposta. Como mulher solteira afro-americana, ela diz que jamais imaginou ficar em casa como mãe: "Em nossa cultura, tipicamente as mulheres negras não ficam em casa.

O EQUILÍBRIO

Elas trabalham. Era esse o exemplo que eu via como normal em minha comunidade. Minha mãe e minha avó criaram famílias felizes com muito amor, mas nunca exigiam que minha irmã, minhas primas e eu nos casassémos e tivéssemos filhos. Para a minha família, era mais importante crescermos, conseguirmos um emprego, sermos responsáveis por nosso sustento e não termos de enfrentar discriminação. Fomos treinadas a buscar o sucesso fora do lar".

Na adolescência, Shana sentia que as mulheres de sua igreja desprezavam a sua família porque ambos, pai e mãe, trabalhavam o tempo todo, enquanto ela e sua irmã eram cuidadas por uma babá. "Na minha família nos amávamos muito e eu tinha pais fantásticos que nunca perderam a oportunidade de nos prover ou de estar sempre presentes para nos apoiar", lembra ela. "Mas era raro jantarmos juntos, não fazíamos juntos o culto doméstico e frequentávamos escolas públicas. Realmente eu tive uma infância feliz, mas na igreja tinha a impressão de que talvez nossa família em alguma coisa 'não estivesse certa', por fazermos ou deixarmos de fazer determinadas coisas. Eu me sentia julgada."

Agora adulta, ela se questiona sobre como equilibrar a ênfase bíblica sobre cuidar do lar com suas normas culturais de sucesso profissional e familiar.

"Na verdade, não existe um modelo de dona de casa como nos anos 1950 na cultura negra (até Claire Huxtable, no programa da televisão *Cosby Show*, trabalhava). Em geral, assumia-se que o modelo de dona de casa era uma coisa de gente branca", diz ela. "Até mesmo conseguir um casamento adequado pode representar um desafio. Um bom casamento se torna mais difícil ainda, pois há carência de homens cristãos afro-americanos, por causa da falta de igrejas sólidas na comunidade afro-americana e de numerosas famílias destruídas. Caso você queira casar-se dentro dessa cultura, é bastante difícil encontrar um par.

"Mas, a despeito das baixas probabilidades demográficas e normas culturais, começo a ver que tornar o seu lar um maravilhoso centro de produtividade e praticar a hospitalidade (o que hoje faço como mulher solteira), e amar o marido e os filhos, transcende tanto a visão 'negra' como a visão 'branca' de família."

Ambas na casa dos 30 anos, Jessica e Shana já viram quanto é difícil quando suas expectativas e normas culturais relativas à produtividade entram em choque com a realidade. Suas experiências podem falar também a você. Talvez você seja solteira como Shana, e a leitura deste capítulo seja difícil para você. Talvez esteja se perguntando se vai conseguir uma família e como ela será. Ou talvez esteja se indagando como isso entra em sintonia com sua cultura e origem. Não pule o capítulo por pensar que talvez não se aplique à sua vida. Ele se aplica, sim. Como Jessica, você pode ser uma mãe superatarefada que só consegue ler poucas páginas por dia. Em qualquer dos casos, este capítulo não trata de escolhas do tipo "ou isso ou aquilo". Não que-

O EQUILÍBRIO

remos acrescentar combustível à "Guerra das Mães". Você pode baixar a guarda. Estamos procurando por graça inesperada.

Este é o tempo de descartar toda ideia de que "tamanho único" serve para todo mundo; você deve abrir seus olhos para a forma singular como o Senhor a tem equipado para equilibrar sua produtividade com as outras responsabilidades que ele lhe deu. Olhando para Jesus, e andando com ele, podemos estar confiantes: "Contemplai-o e sereis iluminados, e o vosso rosto jamais sofrerá vexame" (Salmos 34.5).

Escolhas Difíceis

Com frequência, sentimo-nos culpadas pelas escolhas que fizemos. Jessica lamenta não haver planejado uma carreira quando era mais nova. Shana se arrepende de ter desenvolvido tanto sua identidade na carreira que isso a levou a ignorar a importância da produtividade no lar. Eu (Nora) tenho me sentido puxada por todo lado para fazer boas escolhas, em direção à carreira e em direção à vida em família.

Algumas vezes, *tive* de trabalhar, porque precisávamos desesperadamente do dinheiro; em outras ocasiões, *escolhi* trabalhar e, atualmente, tenho escolhido ficar em casa. A primeira vez que deixei minha filha, de apenas oito semanas, com a avó porque tinha de proferir uma palestra numa conferência, eu estava animada por sair e fazer algo diferente de amamentar. Mas, como mãe que trabalhava fora,

mulher, cristã e bem-sucedida

eu sentia aquela pressão ansiosa a cada vez que me atrasava para o trabalho e sempre que eu corria de volta para meus filhos.

Por outro lado, existem dias em que é tão difícil educar as crianças pequenas que eu quero atirar para longe a condição de mãe em tempo integral e voltar a trabalhar fora. A ideia de fazer uma refeição sem ser interrompida me seduz a procurar possibilidades de emprego na internet.

É aqui que temos de nos voltar para Deus, pedindo-lhe fé. Nossa resposta ao trabalho que se apresenta diante de nós tem de se basear na fé, e não na reviravolta das emoções ou na opinião alheia. Temos de tomar decisões sábias sobre trabalho e família a partir de bons conselhos, mas também precisamos ter fé para tomá-las.

Quando me mudei do Arizona para Washington, D.C., para o novo emprego de Travis, eu estava tão ocupada com a mudança que, quando consegui desacelerar o ritmo, a transição para estar em casa em tempo integral, como mãe, me pegou de surpresa. Animada, não percebi quanto havia deixado para trás do que conhecia sobre como eu era no Arizona. De repente sentia-me insegura; pela primeira vez na vida, eu estava em casa em um lugar diferente, sem a rede social que havia construído. Amava o tempo extra com os filhos, mas ainda me sentia perdida quanto ao meu novo status — ou quanto à falta dele.

O EQUILÍBRIO

Voltando à Bíblia, fui consolada por este trecho da Escritura:

> Mas alguém dirá: Como ressuscitam os mortos? E em que corpo vêm? Insensato! O que semeias não nasce, se primeiro não morrer; e, quando semeias, não semeias o corpo que há de ser, mas o simples grão, como de trigo ou de qualquer outra semente. Mas Deus lhe dá corpo como lhe aprouve dar e a cada uma das sementes, o seu corpo apropriado. Nem toda carne é a mesma; porém uma é a carne dos homens, outra, a dos animais, outra, a das aves, e outra, a dos peixes. Também há corpos celestiais e corpos terrestres; e, sem dúvida, uma é a glória dos celestiais, e outra, a dos terrestres. Uma é a glória do sol, outra, a glória da lua, e outra, a das estrelas; porque até entre estrela e estrela há diferenças de esplendor. Pois assim também é a ressurreição dos mortos. Semeia-se o corpo na corrupção, ressuscita na incorrupção. Semeia-se em desonra, ressuscita em glória. Semeia-se em fraqueza, ressuscita em poder (1 Coríntios 15.35–43).

Essa passagem sobre a promessa da ressurreição sussurrou para mim: Você estava pronta para abrir mão de quem era? Estava disposta a abrir mão daquilo que esperava para si? Estava pronta a ser novamente nada mais que uma semente?

Eu tinha de abraçar os ajustes de minha nova realidade. Tinha de estar disposta a abrir mão de minha identidade. Não era mais Nora, a mãe ativa do Arizona. Não era mais Nora, a nutricionista. Era apenas Nora, uma mulher que Deus criou. Eu não estava perdida. Deus me conhecia — ele sabia exatamente para que me havia criado e a quais decisões me conduzia a tomar.

As transições são turbulentas — até mesmo as felizes. Todas nós passamos por elas em algum ponto da vida. O ajuste leva tempo. Muitas vezes, sentimos que deveríamos estar muito mais à frente na estrada do que estamos — a não ser que lembremos que os "meros grãos ou sementes" se semeiam na fraqueza. Não é ruim mudar de identidade. Deus promete que, se confiarmos nele, ele nos replanta para colhermos recompensas eternas.

Dias Contados

Mas eis a realidade surpreendente: conforme um estudo recente, 84% das mães dizem que ficar em casa para cuidar dos filhos é um luxo financeiro a que aspiram. Além disso, mais do que uma em cada três mulheres se ressente do cônjuge por ele não ganhar o suficiente para tornar realidade esse sonho.[2] Quando eu (Nora) li essa estatística, fiquei surpresa,

---

2 Meghan Casserly, "Is 'Opting Out' the New American Dream for Working Women?" ForbesWomen blog, publicado em 12 set. 2012, disponível em http:// www.forbes.com/sites/meghancasserly/2012/09/12/is-opting-out-the-new-american-dream-for-working-women. Acesso em 14 jan. 2013.

O EQUILÍBRIO

porque estatísticas recentes indicam que 70% das mulheres americanas com filhos abaixo de 18 anos estão empregadas.[3] Sem falar dos 9,9 milhões de mães solteiras que têm filhos abaixo de 18 anos e precisam trabalhar.[4]

O conflito entre o campo da mãe que fica em casa e o da mãe que tem de trabalhar fora de casa é bastante agitado. Cada lado acha que o problema diz respeito a uma escolha; nenhum lado identifica o verdadeiro problema.

A Bíblia diz claramente que a frutificação em um mundo caído é difícil. Diz que seria duro para as mulheres dar à luz filhos (Gênesis 3.16). Não é a dificuldade das dores de parto; é o fardo de desempenhar nosso trabalho fora do Éden. Se não reconhecermos a ruptura no sistema, bem como sua única solução — a redenção —, estaremos sempre tentando encontrar outra solução que seja "suficientemente boa".

O autor Tim Challies diz: "Pois o fundamento do significado moral de nosso trabalho não está naquilo que é o nosso trabalho, mas se o fazemos com fé e para a glória de Deus (Efésios 6.5–9)".[5] A Reforma lutou para restaurar a ideia bíblica de que todo tipo de trabalho tem valor, e o trabalho espiritual não é mais importante para Deus do que nosso trabalho secular. Se firmarmos um marco na terra dizendo

---

[3] Bureau of Labor Statistics, Economic News Release: "Employment Characteristics of Families Summary", publicado em 26 abr. 2012. Disponível em http://www.bls.gov/news.release/famee.nr0.htm.

[4] United States Census Bureau: "Facts for Features: Mother's Day: May 8, 2011", http://www.census.gov/newsroom/releases/archives/facts_for_features_special_editions/cb11-ff07.html, acesso em 14 jan. 2013.

[5] Tim Challies, "The Intrinsic Value of What You Do (Yes, You!)" 01/11/12, http://www.challies.com/articles/the-intrinsic-value-of-what-you-do-yes-you#more, acesso em 25 fev. 2012.

que todo trabalho legítimo e edificante é importante para Deus, então poderemos pedir a Deus sabedoria para tomar boas decisões.

Como não sou mãe, eu (Carolyn) posso me esquivar de toneladas de culpa apresentadas pela "Guerra das Mães". O que tenho para oferecer é a perspectiva do tempo, tendo visto ambos os lados dedicando muitos esforços, ao longo dos anos, a dizer às mulheres exatamente como devem viver segundo determinado padrão. Mas, eventualmente, o tempo demonstrou as limitações desse conselho "tamanho único". O próprio tempo é um marcador para a sabedoria. Em Salmos 90.12, lemos: "Ensina-nos a contar os nossos dias, para que alcancemos coração sábio". O resultado de desenvolver um coração sábio se encontra nas linhas finais deste salmo: "Seja sobre nós a graça do Senhor, nosso Deus; confirma sobre nós as obras das nossas mãos, sim, confirma a obra das nossas mãos" (v. 17).

Contar nossos dias significa que reconhecemos os limites temporais existentes. Não podemos enfiar mais horas entre o nascimento e o pôr do sol, nem podemos voltar no tempo. Não dá para rebobinar a vida de nossos filhos. Não podemos retroceder em nossos casamentos para encontrar mais tempo de ficarmos juntos. Em retrospectiva, parece fácil avaliarmos nossas escolhas, mas Deus nos pede para desenvolvermos essa perspectiva agora.

A ideia de que podemos realizar duas tarefas incrivelmente exigentes de tempo integral é uma ilusão falsa.

O EQUILÍBRIO

Quando realizamos muitas tarefas ao mesmo tempo, talvez acreditemos que isso é possível, mas pesquisas sobre o cérebro demonstram que, na verdade, oscilamos mentalmente entre uma e outra tarefa, perdendo tempo nessa permuta.[6]

Existem resmas e mais *resmas* de artigos sobre casais estressados que tentam equilibrar a criação de filhos e emprego em tempo integral. Não importa como tentem negociar o peso do trabalho, é simplesmente demais para conseguir fazer tudo. Você não pode dividir igualmente o que é demais entre duas pessoas e ainda esperar que tudo seja feito. Talvez a melhor maneira de olhar para esse ato de equilíbrio seja questionando a própria existência desse ato.

Andi Ashworth diz que temos normalizado estilos frenéticos de vida quando não precisamos fazer isso. As mulheres de nossa geração simplesmente não são boas em andar mais devagar.[7] Um artigo recente diz que, no caso de mulheres jovens, a loucura de tentar fazer tudo resulta apenas em estafa antes dos 30 anos e no reconhecimento de que elas não tiveram tempo suficiente para desenvolver os relacionamentos.[8]

Se "contarmos cuidadosamente os nossos dias", teremos de avaliar o tempo que nos foi dado. Precisamos de sabedoria para avaliar nossas prioridades em longo prazo, e consi-

---

6 Jim Taylor, "Myth of Multitasking", *Psychology Today* blog, 30 mar. 2011, http://www.psychologytoday.com/blog/the-power-prime/201103/technology-myth-multitasking.

7 Andi Ashworth, *Real Love for Real Life* (Nashville: Rabbit Room Press, 2012), 37–38.

8 Larissa Faw, "Why Millennial Women Are Burning Out at Work at 30" ForbesWoman.com, 11/11/2011, http://www.forbes.com/sites/laris-safaw/2011/11/11/why-millennial-women-are-burning-out-at-work-by-30, acesso em 14 fev. 2012.

derar o que pode ser feito hoje. Às vezes, isso significa tomar decisões difíceis, como, por exemplo, diminuir a renda do casal para o salário de um só, para que a mãe (ou o pai) possa ficar em casa com os filhos pequenos; outras vezes, significa voltar a trabalhar por algum tempo ou mais.

Meus amigos Jared e Liz procuraram uma solução no empreendedorismo. Jared construiu uma empresa como editor de som para jogos, filmes e televisão, e à medida que foi se expandindo, trouxe sua esposa, Liz, como a pessoa que fazia contato com clientes, tratava das agendas, e-mails e gerenciava o pânico dos prazos vencidos. Quando seu primeiro filho estava a caminho, Jared apertou os números e eles resolveram que, quanto ao custo, seria mais efetivo Liz continuar trabalhando a partir de sua casa e pagar uma ajudante para a limpeza e a execução de outras tarefas caseiras, em vez de substituí-la na empresa. Mas, quando a criança chegou, perceberam que era mais difícil cuidar de um bebê do que haviam imaginado. Por ora, Liz está feliz como uma mãe que fica em casa em tempo integral, enquanto Jared voltou a gerenciar os clientes também. Eles dizem que essa decisão pode mudar no futuro, mas, atualmente, é o melhor tanto para a empresa como para a família.

A aplicação de princípios empresariais, como agendamento e controle do tempo, e a busca por recursos externos são fundamentais para priorizar os importantes relacionamentos dentro de casa. A mulher que "conta seus dias com cuidado" tem de persistir em aplicar sabedoria ao seu tem-

O EQUILÍBRIO

po, a despeito das pressões a seu redor para se conformar a determinado padrão de "sucesso" no lar e como mãe.

Os Pequeninos

Em seu livro *Real Love for Real Life: The Art and Work of Caring* [*Amor Real para a Vida Real: a Arte e o Trabalho de Cuidar*], Andi Ashworth delineia um quadro impressionante das bênçãos e dos benefícios que advêm do investimento nas pessoas. Seu retrato da criatividade e do senso de comunidade que advêm desse investimento na esfera privada é excessivamente atraente. Mesmo com essa elevada visão da família e do lar, Ashworth oferece a seguinte perspectiva para ajudar a pensar nas prioridades competitivas da família e do trabalho:

> Com frequência, presume-se que as mães devam encarregar-se da parte maior da criação dos filhos, mas essa ideia é completamente contrária à Escritura. A Bíblia nos oferece um retrato claro de cuidado da parte de ambos, pai e mãe, com intimidade e cuidado no longo prazo. O Antigo Testamento está repleto de instruções a ambos quanto a ensinar a Palavra e os caminhos de Deus aos filhos. (Deuteronômio 4.9 e 11.19; e Provérbios 1.8 e 6.20 oferecem alguns exemplos disso.) Efésios 6.4 ordena os pais a criar os filhos "na disciplina e na admoestação do Senhor". O verbo traduzido "criar" tem a ver, em primeiro

lugar, com a nutrição do corpo e, em seguida, com a educação como um todo.

O mandado das Escrituras para os dois, mãe e pai, não é somente para ensinar, treinar, instruir e nutrir os filhos, mas também para oferecer uma visão mais ampla da Bíblia; assim, encontramos tanto os homens como as mulheres fazendo uma *mistura* de trabalho financeiro e de cuidado... Ambos os sexos são chamados a praticar a hospitalidade, cuidar com ternura dos filhos, prover para a família estendida e amar e servir o corpo de Cristo, como também o mundo mais amplo, de um modo real, que dê apoio à vida.[9]

Para a maioria de nós nos anos de gerar filhos, nosso investimento será em gente muito miúda. Reconhecemos que nem toda mulher pode ou quer ficar em casa com os filhos durante toda a sua infância, mas queremos ressaltar que a Escritura tem uma visão muito elevada acerca da paternidade e da maternidade. Se Deus dá filhos a você, a educação e a nutrição deles não podem ser feitas com as sobras de um dia cheio.

Ser pai ou mãe é uma intensa vocação por si só. Deus deu a você a responsabilidade de educar seus filhos com sua melhor capacidade, e esses dias estão contados. Se você tiver a média (dos Estados Unidos) de 2,6 filhos, cada qual com um intervalo de três anos, o compromisso inicial de ser mãe em tempo integral e intenso durará cerca de 15 anos só para

---

9 Ashworth, *Real Love for Real Life*, 138–39.

eles chegarem ao jardim de infância. Ora, nunca "acaba" a tarefa de ser pai, e os filhos mais velhos também precisam de períodos de treino e foco intensos, mas nós entendemos que o trabalho é difícil e parece nunca acabar.

Minha irmã (de Carolyn) diz que, como mãe em tempo integral, ela sente falta de sua avaliação anual. No emprego, sempre que havia uma avaliação de seu trabalho, ela sabia exatamente como estava indo em relação a seus alvos de desempenho. Mas ser mãe pode ser uma longa jornada de trabalho não reconhecido.

Duas palavras de encorajamento para mães que possam estar lendo estas palavras: primeiro, o trabalho que você está fazendo tem significado eterno, portanto não desista. Se você estiver criando os filhos no temor do Senhor, já lhes terá dado uma herança incrível.

Segundo, lembre-se de que seus sacrifícios serão recompensados: "Não abandoneis, portanto, a vossa confiança; ela tem grande galardão. Com efeito, *tendes necessidade de perseverança*, para que, havendo feito a vontade de Deus, alcanceis a promessa" (Hebreus 10.35–36, ênfase acrescentada).

Acelerando e Desacelerando o Ritmo

O mundo em que vivemos não torna mais fácil manter o equilíbrio. Conforme vimos no capítulo sobre a história moderna, mesmo que as mulheres tenham participado da força do trabalho em maior número no último século, as leis e a cultura de nossa nação geralmente não são favoráveis a mães trabalhadoras. De acordo com o *State of the World's Mothers Report* anual (Relatório sobre o Estado das Mães do Mundo), da Save the Children Foundation (Fundação Salve as Crianças), os Estados Unidos têm uma das políticas menos generosas de licença-maternidade de qualquer nação rica: "É o único país desenvolvido — e um de apenas um pequeno punhado de países no mundo inteiro — que não garante licença remunerada para as mães que trabalham".[10]

De acordo com um relatório recente da Casa Branca, as mulheres hoje correspondem a 50% da força de trabalho norte-americana.[11] No entanto, muitas políticas ainda tornam difícil para as mulheres "acelerar" e "desacelerar" em suas carreiras, conforme se fizer necessário. Um estudo realizado no período pós-recessão informa que 73% das mulheres que procuram retornar à força de trabalho depois de um tempo voluntário fora para cuidar dos filhos, ou por outras razões, encontram dificuldade para arranjar emprego. Aquelas que voltam perdem 16% de sua capacidade de ganho; mais de 25% relatam redução nas responsabilidades de gerenciamento; e 22% tiveram de se rebaixar a um cargo inferior. Mas 69% das mulheres dizem que não teriam

---

10 Alexandra Sifferlin, "Report: U.S. Is the 25th Best Country to Be a Mom", TIME Healthland, 10 mai. 2012, http://healthland.time.com/2012/05/10/report-u-s-is-the-25th--best-country-to-be-a-mom/#ixzz2JbvAnTMw.

11 "Keeping America's Women Moving Forward", relatório produzido em abr. 2012 a partir de White House Council on Women and Girls, http://m.white house.gov/sites/default/files/email--files/womens_report_final_for_print.pdf.

O EQUILÍBRIO

saído do mercado de trabalho se suas empresas tivessem oferecido opções mais flexíveis, como redução na carga horária, trabalho partilhado, jornada parcial ou breves períodos sabáticos não remumerados.[12]

A pergunta que fica é: quanto a nossa economia poderia crescer se todo o potencial de mulheres que hoje se encontram à margem do mercado de trabalho ou pouco aproveitadas fosse desencadeado por horários flexíveis em suas jornadas? Seria uma vitória para as *famílias*, e não apenas para as "mulheres".

Por essa razão, necessitamos de um planejamento criativo. Se você planeja ter filhos, terá de levar em conta como o ato de "desacelerar" vai afetar sua careira e sua possibilidade de progredir no mercado. Não assuma apenas que isso vai acabar com sua carreira. Nas áreas de ensino ou relacionadas à saúde, é necessário apenas manter seus certificados em dia e a educação continuada. Em outras áreas, será necessário recorrer à criatividade para manter suas habilidades atualizadas e valorizadas. Pense fora da caixa: o trabalho remunerado não é a única coisa que preenche a lacuna em um currículo. Pense na história que você vai contar a um futuro empregador sobre como o tempo que usou para fazer outras coisas tem feito de você uma trabalhadora melhor.

---

[12] "On Ramps and Off Ramps Revisited", The Center for Work-Life Policy, 18 mai. 2010, http://www.worklifepolicy.org/documents/Off-Ramps%20Revisited%20Release%20-%20CWLP%205.18.10.pdf.

mulher, cristã e bem-sucedida

Mas, mesmo com todo o planejamento, talvez você descubra ter uma reação similar à de Mary Matalin. Em seu livro *Midlife Crisis at 30*, Matalin lembra quando o estresse de seu emprego na Casa Branca lhe proporcionou uma clareza repentina: "Finalmente, eu me perguntei: 'Quem precisa mais de mim?' Foi então que percebi que era a hora de outra pessoa fazer esse trabalho. Sou indispensável a meus filhos, mas não chego nem perto de ser indispensável à Casa Branca". E acrescenta:

> Se você quiser saber a solução, ei-la: ter controle de seu horário é o único jeito para as mulheres que desejam ter uma carreira e uma família conseguirem fazer a coisa toda funcionar. É preciso procurar maneiras de criar opções para si mesma que não caibam necessariamente numa carreira linear. Todas essas coisas sobre estabelecer alvos e trajetórias de carreira são exageradas e dispersivas.
> A minha estatística absolutamente predileta é sobre o crescimento fenomenal das empresas de propriedade das mulheres — o caminho empresarial está emergindo como a solução prática para esse impossível ato de equilibrista.[13]

Eu (Carolyn) concordo com Matalin — até certo ponto. Ser empresária é algo que consome muito tempo e demanda que você dê tudo de si para decolar. Eu digo brin-

---
13 Lia Macko and Kerry Rubin, *Midlife Crisis at 30* (Emmaus, PA: Rodale, 2012), 169.

cando que hoje trabalho para o patrão mais maluco possível: eu mesma. Nos primeiros anos de minha empresa, cheguei a trabalhar uma média de mais de sessenta e seis horas por semana. Não consigo imaginar como teria conseguido se tivesse uma família.

Como nutricionista de pronto-atendimento, eu (Nora) concordo com Matalin sobre as vantagens de ter um horário flexível. Eu podia escolher os dias nos hospitais nos quais queria trabalhar, como também aqueles em que recebia clientes em meu consultório particular. Mas, de acordo com a minha experiência como proprietária de um serviço de bufê, sei que sou melhor quando apoio o trabalho de outra pessoa do que fazendo tudo sozinha, razão pela qual me associei a outra nutricionista que tinha uma clientela particular já estabelecida.

Além das soluções empresariais, existem outros vislumbres para as mães que trabalham fora. Compartilhamento de emprego, horários flexíveis, telecomunicações e possibilidades de licença não remunerada foram soluções adotadas por muitas empresas por toda a nação. Um estudo recente das companhias mostra que, entre 2005 e 2012, mais empregadores agora oferecem pelo menos 12 semanas de licença-maternidade. Temos de permanecer flexíveis quanto à dinâmica do lugar de trabalho e ao fato de nossas vidas passarem por mudanças. "Desacelerar" e "acelerar" podem acontecer muitas vezes em nossa vida. Temos de estar preparadas, pois o sucesso nunca é uma rota direta; frequentemente, apresenta muitas reviravoltas e pontos de virada.

Pensando Melhor

Mais importante do que mudanças em nosso sistema social ou em nossas leis, ou até mesmo contar com um planejamento criativo, é que, como cristãos, temos de concordar sobre a necessidade de pensarmos de um modo diferente sobre produtividade. Kate Harris, mãe e CEO no Washington Institute, organização cristã sem fins lucrativos com foco na vocação, escreve, de uma forma perspicaz, acerca dessa experiência:

> "Trabalho" é um termo que tende a perder seu significado nas discussões sobre maternidade, devido à sua aplicação estreita como sinônimo de ocupação orientada por uma carreira. Como cristãos, nossa definição de trabalho é infinitamente mais inclusiva do que isso... À medida que as mães buscam cada vez mais melhor entendimento acerca de seu trabalho e sua identidade, é importante ter em mente o contexto prático que governa a forma como vivenciam suas responsabilidades no dia a dia. As realidades abrangentes da vida, como, por exemplo, se um marido trabalha a partir de sua casa ou viaja com frequência, se a família (os parentes) está por perto ou vive longe, se as finanças permitem pagar por ajuda

O EQUILÍBRIO

extra ou requerem renda extra, se os filhos são saudáveis ou não, se o casamento é estável e feliz ou se exige esforços maiores para se firmar — todos esses fatores têm enormes consequências sobre como passamos a tratar fielmente nossas responsabilidades. Nem todo trabalho será adequado a todas as etapas de nossas vidas; ao mesmo tempo, alguns trabalhos são perenes e, inevitavelmente, encontrarão um jeito de brotar de novo. A cada instante, temos de discernir com cuidado qual trabalho devemos buscar — ou não — à luz de outras responsabilidades. Em tudo isso, quer seja na categoria ou no contexto da linguagem, é essencial que as mães reconheçam que o alvo, ao examinar a própria identidade à luz do trabalho, não é fazer mais ou ser mais ocupada, mas *refletir melhor* sobre a maneira como se envolvem na plenitude de seu chamado. Para algumas mulheres, isso significa permitir-se examinar interesses, habilidades ou oportunidades que persistem fora de, ao longo de ou no meio de suas responsabilidades como mãe. No caso de outras, significa avaliar se suas prioridades e seus compromissos estão alinhados corretamente aos compromissos que elas têm junto à sua família. Para todas as mulheres, significa serem humildes o suficiente para sair dos limites do próprio conforto e oferecer a plenitude de seus dons em serviço a Cristo, confiando que, se for dele a obra, ele proverá a margem necessária para realizá-la.[14] (ênfase acrescida)

A Bíblia diz: "alegria tem os que aconselham a paz" (Provérbios 12.20). A versão ESV, na língua inglesa, diz: "os que planejam a paz têm alegria". Como cristãs, sabemos que nenhum planejamento garante nossa alegria, mas algo existe em fazer planos que promovam paz e alegria máximas em nossa vida. A presunção exagerada de nossa capacidade só nos deixará inquietas, ansiosas e incapazes de lidar com a inevitável "volatilidade esperada" de uma vida plena. O futuro nunca é o que presumimos que será, mas jamais será perda de tempo antever as opções e planejar para a eventualidade de determinadas contingências.

Minha amiga Anne tem 35 anos e está namorando seriamente um homem com dois filhos em idade escolar. Estão falando em casamento e tentando organizar suas opções futuras. Anne tem muita experiência, tendo trabalhado na Casa Branca e no Departamento de Estado. Ela tem a opção de seguir uma bem-sucedida posição na política pública, o que tornaria seu salário maior que o dele, se eles se casarem. Ainda não ficaram noivos, mas ela está procurando fazer escolhas sábias agora, examinando quais serão os resultados de suas escolhas atuais em relação a possíveis futuros. Assim, ela está avaliando as oportunidades de trabalho na si-

---

14 Kate Harris, "Epiphany, Mission and Motherhood", originalmente publicado na revista *Comment*, 29 jan. 2010. Republicado em janeiro de 2012 no site do Washington Institute, http://www.washingtoninst.org/1447/epiphany-mission-motherhood.

O EQUILÍBRIO

tuação de haver o casamento. Pediu a seu namorado que ele imagine o tipo de dia em que ela chegue em casa mais tarde do que ele. Ele aceitaria bem cuidar das crianças depois da escola e fazer o jantar? Como seria a vida em família? Quais seriam as expectativas dele? E as dela, quais seriam? Onde eles poderiam entrar em conflito? E se ela engravidar e quiser ficar em casa com os filhos? Teriam dinheiro para isso? E assim por diante. Na verdade, estão fazendo um curso de aconselhamento pré-nupcial antes mesmo de ficarem noivos para ver se estão considerando devidamente as experiências e as perspectivas do outro.

Esse casal está fazendo perguntas realmente grandiosas, que nós também precisamos fazer. De uma forma sábia, eles perceberam que, quando você tenta carregar peso demais, alguma coisa vai escorregar e cair subitamente no chão — e, como o molho de macarrão em um chão de mármore branco, será difícil limpar.

A despeito das limitações de nossos planos e dos erros que podemos cometer, nós temos em Deus o maior recurso. Ele nos dá sabedoria para avaliar nossos planos: "O conselho do Senhor dura para sempre; os desígnios do seu coração, por todas as gerações" (Salmos 33.11). Ele pensa em longo prazo mais do que nós, e seu coração é *por* nós: não só por nós, pais e mães, mas também pela próxima geração.

12 {treinando para o sucesso

Até a meia-idade, a maioria das mulheres estará gerenciando empresas em crescimento. Quer, na providência do Senhor, você tenha vivido em uma posição de gerenciar seu lar em tempo integral, quer tenha estado em uma carreira profissional o tempo todo, quer ainda numa mistura de ambas as coisas, é provável que receba múltiplos relatórios — tanto por adolescentes que vivam em sua casa como por membros de sua equipe de trabalho no escritório — e tenha de cumprir uma complicada logística que a mantenha sempre na correria.

Essa fase da vida trata de ajudar outras pessoas a alcançar o sucesso. Sua tarefa como gerente de meia-idade, mãe

mulher, cristã e bem-sucedida

ou esposa pode ser descrita como o treinamento de outras pessoas para a grandeza. Em casa ou no trabalho, você está construindo uma equipe — e as habilidades requeridas são extraordinariamente semelhantes. (Se você ainda não tem um time para treinar, continue lendo, a fim de que esteja previamente preparada para essa responsabilidade.)

Estou contente porque me tornei empregadora antes de ter a oportunidade de escrever este livro. A companhia que dirijo é bem pequena, mas a mudança de perspectiva que experimentei foi profunda. Agora que conheço o panorama geral, reconheço quantos fatores estão envolvidos nas operações do dia a dia. Gerenciar é um desafio maior do que eu imaginava. Também reconheço que, quando eu era empregada, tinha uma opinião muito inflada acerca de meu próprio desempenho. Meus colegas atuais são, na verdade, muito melhores em aceitar minha direção do que eu era em relação aos meus supervisores. Em retrospectiva, estou convencida de que algumas das ações que eu percebia, sendo empregada, como microgerenciamento, eram, na verdade, tentativas de me tornar responsável por meu tempo e pelo progresso.

Não importa se você chegou até este capítulo indagando se as mulheres deveriam gerenciar os homens ou se veio até aqui em busca de um conselho sobre como cultivar uma presença de executiva, neste capítulo vamos examinar o que torna a mulher uma boa treinadora como gerente ou líder empresarial.

TREINANDO PARA O SUCESSO

"Apenas uma Mulher"

A história da humanidade revela que os homens consistentemente têm subestimado aquilo que as mulheres podem fazer e realizar. Quando Elizabeth I foi coroada rainha da Inglaterra, em 1558, já havia sobrevivido a numerosas intrigas e revoltas políticas. Seu reinado garantiu relativa estabilidade e paz à Inglaterra durante seus 44 anos no trono, e as artes floresceram nesse período. Contudo, ela teve de vencer, reiteradamente, as baixas expectativas em relação à sua condição feminina. Seu reino elevou o status da Inglaterra por toda a Europa, especialmente depois da grande derrota da Armada Espanhola. No entanto, o Papa Sisto V disse acerca dessa rainha: "Ela é apenas uma mulher, senhora de apenas metade de uma ilha, mas se faz temida pela Espanha, pela França, pelo Império, por todos".[1]

A questão, no decorrer dos séculos, tem sido: "Uma mulher é capaz de gerenciar?". Essa distorção da capacidade das mulheres não se encontra na perspectiva bíblica. Não existe proibição bíblica de as mulheres dirigirem o labor dos homens. Como escreve o teólogo Wayne Grudem: "O que encontramos na Bíblia é que Deus deu ordens estabelecendo a liderança masculina no *lar* e na *igreja*, mas outros ensinamentos de sua Palavra dão considerável liberdade

---

1 Anne Somerset, *Elizabeth I* (London: Anchor Books, 2003), 727.

em outras áreas da vida. Não devemos exigir nem mais nem menos do que a própria Escritura requer".[2]

Dito isso, fomos criadas mulheres à imagem de Deus, e existe algo maravilhosamente distinto em ser mulher. Não precisamos imitar a masculinidade para gerenciar. De fato, a imitação acaba, costumeiramente, saindo pela culatra, porque soa forçada e desnecessária. A imitação também não enxerga as maravilhosas qualidades que as mulheres possuem e diminui o que o Senhor criou em nós. A confiança calorosa, graciosa e encorajadora de uma mulher pode construir uma boa equipe.

Meu quadro favorito de gerenciamento feminino e de iniciativa feminina se encontra na história de Abigail, no Antigo Testamento. Em 1 Samuel 25, percebemos que Abigail é casada com um homem rico mas tolo, chamado Nabal. A Bíblia o descreve como um riquíssimo fazendeiro que estava tosquiando suas ovelhas — o equivalente ao tempo da colheita. Noutras palavras, era o dia do pagamento. Davi envia, então, um pedido para participar do dia de banquete, porque seus homens haviam ajudado os pastores de Nabal a vigiar seus extensos rebanhos no deserto. Tolamente, Nabal descarta o pedido e provoca Davi a uma fúria assassina.

Um dos servos de Nabal corre até Abigail, mulher diligente que já supervisionara o preparo para o banquete com "duzentos pães, dois odres de vinho, cinco ovelhas

---

[2] Wayne Grudem, *Evangelical Feminism and Biblical Truth* (Sisters, OR: Multnomah, 2004), 393.

preparadas, cinco medidas de trigo tostado, cem cachos de passas e duzentas pastas de figos, e os pôs sobre jumentos" (v. 18), a fim de evitar um desastre iminente para os negócios da família. Ela carrega os jumentos com essas provisões e os envia até Davi e seus homens.

Abigail é descrita no verso 3 como "sensata e formosa", mas seu marido é descrito como "duro e maligno em todo o seu trato". Conforme veremos, o relato louva Abigail por sua sabedoria e iniciativa, mas não diz mais nada além do fato de que ela era bonita. Ela não aproveita de seus encantos físicos, embora, sem dúvida, esses fossem evidentes a todos, especialmente para Davi. Quando ela o encontra, não usa a falsa lisonja feminina nem a manipulação emocional para balançar o propósito dele. Ela não flerta; não chora. O que ela faz é confrontar Davi, advertindo-o para as consequências de seus atos e instando-o a viver conforme os padrões de Deus:

> Perdoa a transgressão da tua serva; pois, de fato, o SENHOR te fará casa firme, porque pelejas as batalhas do SENHOR, e não se ache mal em ti por todos os teus dias. Se algum homem se levantar para te perseguir e buscar a tua vida, então, a tua vida será atada no feixe dos que vivem com o SENHOR, teu Deus; porém a vida de teus inimigos, este a arrojará como se a atirasse da cavidade de uma funda. E há de ser que, usando o SENHOR contigo segundo todo o bem que tem dito a teu

> respeito e te houver estabelecido príncipe sobre Israel, então, meu senhor, não te será por tropeço, nem por pesar ao coração o sangue que, sem causa, vieres a derramar e o te haveres vingado com as tuas próprias mãos; quando o SENHOR te houver feito o bem, lembrar-te-ás da tua serva. Então, Davi disse a Abigail: Bendito o SENHOR, Deus de Israel, que, hoje, te enviou ao meu encontro. Bendita seja a tua prudência, e bendita sejas tu mesma, que hoje me tolheste de derramar sangue e de que por minha própria mão me vingasse (1 Samuel 25.28–33).

Essa foi uma mulher que utilizou todos os recursos, sabedoria, iniciativa e palavras ousadas para conclamar um homem a emular um padrão mais elevado — confiando no Senhor quanto ao resultado. Abigail gerenciou a situação com sagacidade e o fez para proteger a vida de seus empregados, que teriam sido atacados pelo exército de Davi. Ela foi ousada, eficaz e estratégica ao proteger os bens e empregados dos negócios da família. E *totalmente feminina*. Vemos na Bíblia que essas qualidades não são contraditórias.

Coaching ou Panelinhas

Quando pensamos em treinar outras pessoas para o sucesso, talvez a figura que surja em mente seja a do treinador esportivo de cara vermelha ali do lado do campo, gritando impropérios e ameaças para seu time, uma enxurrada de vulgaridades e disparates que, supostamente, deveria despertar a grandeza dos jogadores.

Não é esse, contudo, o retrato de um bom treinador. Talvez eu devesse usar o conceito de líder de torcida, em vez de treinador? Não, as mulheres que ficam do lado do campo apostando em sua sexualidade, oferecendo encorajamento geral sem nenhum impacto direto ou estratégico sobre o time, também não são o que eu imagino.

Essas duas imagens representam uma distorção. A masculinidade piedosa jamais será abusiva. A feminilidade piedosa jamais será sexualmente provocante. Um bom treinador, seja qual for o gênero, deverá desenvolver as melhores qualidades e o melhor controle possível de seu tempo, oferecendo a direção, as ferramentas e os recursos necessários para alcançar metas concretas e específicas. Na verdade, gerenciar é uma forma de servir — direcionada a tornar as outras pessoas o melhor que podem ser, com o fim de alcançar um alvo maior. Esse conceito é apresentado claramente em um estudo recente publicado na *Harvard Business Review*. Ele mostra que, quando as mulheres alcançam níveis mais elevados de gerência, na verdade obtêm notas mais altas que seus colegas homens em numerosas qualidades de liderança e administração:

> A maioria dos estereótipos nos leva à crença de que as líderes mulheres excedem em competên-

cias de "acolhimento", como no desenvolvimento de pessoas e construção de relacionamentos, e muitos podem incluir nessa categoria o fato de elas mostrarem integridade e engajamento em auto desenvolvimento. E em todos os quatro casos, nossos dados concordavam — as mulheres obtinham resultados mais elevados que os homens. Mas as vantagens das mulheres não estavam todas limitadas a pontos tradicionalmente fortes para elas. De fato, em todos os níveis, mais mulheres foram avaliadas por seus colegas, chefes, relatórios diretos e outros associados como líderes melhores que seus semelhantes masculinos — e, quanto mais alto for o nível, maior fica a lacuna entre os dois... Especificamente em todos os níveis, as mulheres foram avaliadas como superiores em 12 das 16 competências que englobam uma liderança excepcional. Duas dessas características em que as mulheres mais sobrepujaram os homens — a de tomar a iniciativa e ser direcionado a resultados — há muito tempo tinham sido consideradas pontos fortes dos homens. Acontece que os homens apresentaram índices significativamente mais altos que as mulheres em apenas uma competência de gerenciamento neste estudo: a capacidade de desenvolver perspectivas estratégicas.[3]

---

[3] Jack Zenger and Joseph Folkman, "Are Women Better Leaders than Men?", publicado em HBR Blog Network, em 15 mar. 2012, disponível em http://blogs .hbr.org/cs/2012/03/a_study_in_leadership_women_do.html.

TREINANDO PARA O SUCESSO

Quais são as competências de liderança desse estudo? São as qualidades dos treinadores verdadeiramente grandes:

- Tomar a iniciativa
- Praticar o autodesenvolvimento
- Demonstrar elevadas integridade e honestidade
- Alcançar resultados
- Desenvolver pessoas
- Inspirar e motivar outras pessoas
- Construir relacionamentos
- Colaborar e trabalhar em equipe
- Estabelecer alvos expansíveis
- Defender a ocorrência de mudanças
- Resolver problemas e analisar questões
- Comunicar-se de uma forma poderosa e prolífica
- Ligar o grupo ao mundo externo
- Inovar
- Ter conhecimento técnico ou profissional
- Desenvolver perspectivas estratégicas

Observe quantas dessas competências giram em torno do desenvolvimento de comunicação e relacionamentos — inspirando, motivando, construindo, conectando e desenvolvendo a equipe. Quer sejamos ou não gerentes, nós, mulheres, podemos ser treinadoras fantásticas se usarmos nossas palavras para edificar as pessoas. Quando não fa-

mulher, cristã e bem-sucedida

zemos isso, criamos a dinâmica que Paulo tratou em 1 Timóteo 5.13, quanto às viúvas jovens que estavam ociosas: "Além do mais, aprendem também a viver ociosas, andando de casa em casa; e não somente ociosas, mas ainda tagarelas e intrigantes, falando o que não devem".

Um dos comentários que recebi em uma pesquisa informal que fiz sobre mulheres gerentes referia-se a esse problema de comunicação: "Um dos maiores problemas que enfrento é a fofoca que vai passando por aí. Basicamente, eu trabalho com meninas, portanto isso é comum. As pessoas começam rumores e os espalham. Queria que houvesse mais comunicação entre as pessoas, porque muita coisa seria melhor se houvesse expectativas consistentes e honestidade".

Embora seja verdade que "quem você conhece" pode ser tão importante quanto "o que você conhece" no trabalho, existe um jogo de poder nos relacionamentos que, com frequência, ocorre entre as mulheres no lugar de trabalho. É o tipo de jogo que as meninas adolescentes são especialistas em jogar — o ostracismo ou a aceitação pública de pessoas — e que deveria ser inaceitável, especialmente no caso de mulheres adultas. Isso não acontece apenas no escritório; pode haver nos bancos de reserva de um jogo de futebol, nas reuniões de professores e pais de alunos ou, lamentavelmente, na igreja.

Quando isso acontece, você tem de se recusar veementemente a fazer parte desse jogo. Certa vez, uma vendedora me disse que não queria que eu trabalhasse com outra vendedora porque aquela mulher era manipuladora e egoísta. Ficou tentando me obrigar a seguir essa sua exigência, mas eu notei que a outra mulher — a que fora tão severamente rotulada — nada mais era que boa profissional e apoiadora. Então, eu tive de voltar à vendedora fofoqueira e explicar, com todas as letras, que, embora eu tivesse escutado suas palavras de cautela, àquela altura eu chegara à conclusão de que não havia base para aqueles comentários feitos e, portanto, eu trataria as duas de forma igual. Eu não seria emocionalmente manipulada a tomar partido em um conflito que nada tinha a ver comigo e que precedia meu envolvimento.

Bons treinadores mantêm a equipe focada em alvos objetivos, insistem em que os conflitos pessoais sejam trabalhados e resolvidos, ou mantidos à parte, e fortalecem os membros do time mediante o desenvolvimento de habilidades e elogios oportunos, em vez de praticarem ameaças ou ficarem irados. Os treinadores existem para desenvolver um time que opere melhor em equipe do que como uma coleção de indivíduos separados.

Coloque suas Almofadas de Proteção

Treinadores sabem que estão enviando os jogadores a um campo difícil. Os jogadores apanham do time oposto. Portanto, o bom treinador deve certificar-se de que os membros de sua equipe estejam vestidos apropriadamente para o jogo. Especialmente no futebol americano, o uniforme almofadado mantém o jogador seguro quando leva alguma pancada. Porém, pode ser que as suas jogadoras não tenham ideia de quanto precisam se proteger para levar uma pancada de frente. Às vezes, os treinadores também se esquecem desse princípio.

Anos atrás, eu tive um emprego no qual Deus usou meus colegas para me mostrar a extensão de meu orgulho e defensividade. Eu era constantemente chamada fora do horário normal de trabalho e isso se revelava desconfortável para mim. Acho que gastei pelo menos metade de meu primeiro ano lutando contra as lágrimas de frustração, estresse e raiva. Às vezes eu conseguia controlar esses sentimentos; outras vezes, contudo, eles é que me controlavam. Não sou bonita quando fico chorona. Não há nada delicado ou feminino com nariz e olhos vermelhos, sem falar nos olhos inchados do dia seguinte, que me deixam com uma cara de réptil. Por mais que a vaidade me tentasse a conter as emoções, havia tempos em que as malditas lágrimas eram mais fortes.

Pode ser uma lição difícil de aprender, mas o trabalho não é pessoal. Não é um perpétuo encontro às cegas em que tentamos descobrir se gostam de nós ou se estamos sendo aprovadas. Você foi contratada para realizar uma tarefa e será a sua capacidade de fazê-la que será avaliada. Como gerentes femininas, podemos ajudar as mulheres mais jovens a "vestir suas almofadas", ensinando-as a não confundir a avaliação de seu desempenho no trabalho com qualquer sentido de aprovação no nível pessoal.

A autora Shaunti Feldhahn oferece algumas boas dicas. Ela perguntou a inúmeros homens se havia alguma coisa que tivessem observado nas mulheres talentosas que solapasse a efetividade delas junto a eles, simplesmente porque elas não sabiam como isso era percebido. A resposta mais comum foi: "Às vezes, as mulheres levam as coisas muito para o terreno pessoal". Um executivo explicou do seguinte modo: "Quando falamos a nossos empregados que precisam melhorar, os homens escutam apenas: 'Você não fez o que precisávamos que fizesse. O que vai fazer para melhorar?'. Mas, quando trabalhamos com mulheres, podemos ter diante de nós os mesmos dados, mas parece que elas escutam: *Não gostamos de você*".[4]

Uma mulher disse-me que aprendeu a não responder quando suas emoções estão afloradas — nem as boas nem as más. Ela espera 24 horas até processar corretamente suas reações. Se o seu fluxo de trabalho permite que você faça uma pausa nesses momentos, acho que é uma ideia sábia. Para Feldhahn, as emoções fortes são percebidas de maneira diferente no trabalho quando vêm das mulheres:

> Como um homem disse: "O momento em que vejo alguém se enchendo de lágrimas, penso: 'Lá se vai a parte lógica da conversa. Agora podemos

---

4 Shaunti Feldhahn, *For Women Only in the Workplace*, 29.

também abandonar a lógica'. Os homens acham que, se alguém estiver chorando, é porque parou de ser lógico".

Conquanto uma inundação de fortes emoções torne difícil às pessoas pensar com clareza, a ciência mostra que o limiar emocional das mulheres é, em essência, muito mais elevado do que o dos homens. As mulheres conseguem experimentar sentimentos fortes e, ainda assim, pensar com clareza, mas, como geralmente os homens não conseguem isso, acham que as mulheres também não conseguem. No caso dos homens, a emoção de muitas formas é irracional.[5]

Existem também outras coisas que podemos fazer para ajudar a gerenciar nossas emoções. Sono suficiente, descanso, exercícios e dietas saudáveis ajudam a minimizar os efeitos negativos que nosso corpo exerce sobre nossas emoções. O mesmo ocorre em relação aos hormônios.

Deixe-me dizer a você que intensas mudanças hormonais não precisam ser suportadas como simplesmente "normais". Eu estava com os hormônios desequilibrados durante a maior parte dos meus 20 anos, e não sabia como tratar isso. Estou pessoalmente convencida de que é melhor encontrar um médico que trate o desequilíbrio, não tentando apenas mascarar os sintomas com mais medicação. Mas, enquanto estiver buscando tratamento, lembre-se de que,

---

5 Ibid., 61.

além de tratamento médico, e acima dele, temos o Grande Médico, que nos dá graça suficiente até mesmo para nossos hormônios em desequilíbrio. Quando eu tinha TPM e me sentia como se um animal preso estivesse tentando roer uma saída para fora da minha pele, sabia que era hora de voltar para Jesus e lhe pedir uma "porção dobrada" de seu doce Espírito, a fim de me ajudar a reagir com mansidão a qualquer coisa que viesse a acontecer comigo naquele dia.

Durante muitos anos, o versículo colado ao meu computador era o de Filipenses 4.5: "Seja a vossa moderação conhecida de todos os homens. Perto está o Senhor". Essa é a tradução da Almeida Revista e Atualizada. A ACF traduz: "Seja a vossa equidade notória a todos os homens. Perto está o Senhor". E a NVI usa o termo "amabilidade". Acho que todas as três palavras nos dão a plenitude da ideia — que sejam conhecidas nossas moderação, equidade e amabilidade para com todos. Sejamos moderados com nossas palavras. Sejamos razoáveis em nossas respostas. Sejamos amáveis nas reações para com as outras pessoas.

Você não precisa viver escravizada pelos hormônios. É possível subjugá-los pelo poder do Espírito Santo.

Como gerentes, temos de ajudar nossa equipe a separar e tratar de suas emoções e conflitos, a fim de garantir produtividade contínua. Em alguns casos, isso significa ter conversas privadas com cada pessoa, a fim de entender os problemas por que passam. Em outros casos, significa chamar as facções que guerreiam para uma conversa em que você se limita a observar, sem interferir. Talvez tenha de ser tanto júri como juiz — especialmente se o conflito girar em torno da violação de um regulamento claro da empresa —, porém o mais frequente em seu trabalho como treinadora será garantir que a equipe se prepare corretamente e aprenda a resolver as ofensas entre seus membros.

Chamadas Claras

Antigamente, a parte mais entediante de transcrever as entrevistas que filmávamos era avançar, passando por cima de minhas perguntas extensas e chegando logo aos assuntos em que eu abordava uma variedade de ideias, para, só então, parar, à espera de que eles fizessem seus comentários. Inevitavelmente, perguntavam: "Ahn... então qual foi mesmo a sua pergunta?".

Palavras demais. *FRACASSO*.

Os melhores treinadores têm de dominar uma comunicação clara e concisa. Não pode se dar o luxo de uma chamada confusa sobre a próxima jogada, que deixe o time sem saber o que fazer.

Na enxurrada de e-mails, mensagens instantâneas e spams que todo mundo recebe, precisamos ser um modelo de brevidade e clareza àqueles que gerenciamos. Eles precisam de tarefas, alvos e resultados concretos. Também precisam saber que nós os contratamos para fazer o trabalho e que nós estamos ali para ajudá-los a ter sucesso.

TREINANDO PARA O SUCESSO

Minha amiga Lauren trabalha como executiva em empresas internacionais de mídia há muitos anos. Ela estabelece expectativas claras para sua equipe nos estágios de contratação e de avaliação, e também define como quer que todos trabalhem:

> Eu deixo os membros de minha equipe saber que reconheço e valorizo o fato de eles tomarem a iniciativa. Alguém que se interessa em avançar em papéis de liderança precisa mostrar processos de pensamento claros, resolução de problemas e iniciativa. É totalmente correto usar meu feedback como forma de levantar as ideias de alguém e verificar que estejam no caminho certo. Mas eu quero que eles também pensem em soluções aos desafios antes de virem até mim.

Mais cedo em sua carreira, ela lutava por querer ser vista como "boazinha" — não como uma pessoa difícil ou ameaçadora —, mas ela aprendeu que isso, no caso de uma gerente, pode tornar-se um ponto cego.

> Quando mudei de querer que gostassem de mim para preferir ser respeitada, isso me permitiu pensar nas decisões sob outra ótica. Penso no que é certo *versus* o que é popular, e como dizê-lo sem um palavreado passivo ou mensagens confusas. Foi necessário ter um pouco de prática para dar feedback baseado em fatos e exemplos, sem ser emotiva ou parecendo uma menina bo-

nitinha e doce. Existe uma forma de ser decente e simpática, mas, ainda assim, direta e clara. Dá trabalho. Mas tem sido um estilo muito útil, na minha opinião.

Como mãe solteira, ela se mostra especialmente sensível a questões de família na sua equipe. "Até que alguém tenha tido filhos, os que trabalham no escritório com você pensam que você não é dedicada se tiver de sair mais cedo para buscar os filhos", diz ela. "Mas eu descobri que a maioria das mães com quem trabalhei são muito eficientes — elas sabem empregar o seu tempo. Em geral, elas são aquelas pessoas com quem podemos contar para fazer a tarefa, fazê-la bem-feita e em tempo hábil, porque querem ir para casa e ficar com suas famílias. São motivadas porque querem manter seus empregos."

Quando, de início, Lauren voltou da licença-maternidade, sua chefe a promoveu e lhe disse: "Não espero que você trabalhe mais que os outros; espero que trabalhe mais sabiamente". Parte desse trabalho mais sábio consistia em certificar-se de que as outras pessoas da equipe, bem como sua chefe, tivessem breves atualizações sobre o que ela estava fazendo fora do escritório. Naquela época, ela trabalhava em um grupo internacional e, então, contava à chefe o que fazia antes de ir ao escritório, como, por exemplo, fazer ligações telefônicas para a Europa às cinco e meia da manhã.

TREINANDO PARA O SUCESSO

Agora ela passa essa experiência adiante, ajudando outras mães e pais que trabalham em sua equipe a serem sábios no que diz respeito aos malabarismos de trabalhar e viver a vida. Certa vez, uma de suas funcionárias veio trabalhar num feriado da escola pública. Então, Lauren perguntou onde estava a filha de 8 anos dessa mulher. Acabou descobrindo que a menina havia ficado sozinha em casa. Lauren disse à colega que fechasse o computador e fosse para casa ficar com a criança, reprogramando sua agenda para trabalhar de casa. Essa mulher tinha medo de pedir algo assim à Lauren antes de ela lhe garantir que estaria tudo bem. "Tive de lhe dizer: prometo que, se você continuar fazendo seu trabalho, isso não irá impactá-la negativamente de maneira alguma", diz ela.

Por mais que a comunicação clara ajude, uma comunicação direta do que fazer é igualmente importante para cultivar a "presença executiva" que leva a posições C-suite.* De forma interessante, uma descrição publicada em um blog da *Harvard Business Review traz a seguinte amostra de* como as mulheres podem cultivar essa presença executiva sem se tornarem estridentes ou agressivas:

> Se você entrasse numa sala cheia, com vinte gerentes, Lydia Taylor, membro do departamento jurídico, não se destacaria — mas isso mudaria

---

* Grupo dos dirigentes mais importantes de uma companhia. (N. da R.)

quando os debates começassem. Embora fosse de fala mansa e não agressiva, era altamente respeitada por seus colegas, como também pelos executivos com os quais ela trabalhava. Lydia tinha uma habilidade notória de escutar e também um senso inerrante de quando se inserir na conversa para destacar seu ponto de vista. Tranquila, direta e inabalável, ela mantinha a calma e uma atitude sóbria quando os outros ficavam emotivos, e utilizava seu senso de humor para neutralizar as situações difíceis. Quando desafiada por outras pessoas, ela mantinha sua posição de maneira firme, sem confrontos. Embora altamente apoiadora de seus clientes internos, ela estava preparada a firmar o pé se alguém defendesse uma posição que pudesse pôr em risco a companhia. O resultado é que Lydia foi identificada como a principal candidata a suceder o conselheiro-geral da empresa.[6]

Saber expressar-se é apenas uma parte da comunicação clara. E também depende de sua habilidade de escutar bem. Tiago 1.19-20 diz: "Sabeis estas coisas, meus amados irmãos. Todo homem, pois, seja pronto para ouvir, tardio para falar, tardio para se irar. Porque a ira do homem não produz a justiça de Deus". O livro de Provérbios diz: "Ouça o sábio e cresça em prudência; e o instruído adquira habilidade" (1.5)

---

6 John Beeson, "Deconstructing Executive Presence", HBR Blog Network, publicado em 22 ago. 2012, disponível em http://blogs.hbr.org/cs/2012/08/de-constructing_executive_pres.html.

e "O coração do justo medita o que há de responder, mas a boca dos perversos transborda maldades" (15.28).

A Bíblia nos lembra de que a comunicação bem-sucedida depende de adquirirmos sabedoria em nossos corações, e não apenas de treinarmos as nossas bocas. O coração que pende para a humildade inevitavelmente se inclina a uma linguagem construtiva, clara e amável. Nosso falar deve evidenciar nossa fé. As palavras diretas ou enfáticas serão mais bem-recebidas quando vierem de uma mulher com integridade em seu caráter cristão. A fala precisa, sábia e congruente com o caráter não apenas será bem-recebida, como também motivará aqueles que você lidera, ao verem como modela bem aquilo que fala.

O Treinador-Chefe Define o Sucesso

Toda equipe vencedora precisa de um grande treinador. Mas nós temos de reconhecer que, em verdade, somos todos treinadores *assistentes*. Temos no céu um treinador-chefe que enxerga perfeitamente a contribuição do time inteiro, conhece as motivações de todos os envolvidos e dá as ordens para atingirmos o sucesso da maneira como ele o define. O treinador-chefe sabe criar verdadeiros campeões e nos deu o livro de roteiro para memorizar, a fim de percebermos seu chamado e conhecermos sua filosofia de treinamento:

mulher, cristã e bem-sucedida

> Filho meu, não te esqueças dos meus ensinos, e o teu coração guarde os meus mandamentos; porque eles aumentarão os teus dias e te acrescentarão anos de vida e paz. Não te desamparem a benignidade e a fidelidade; ata-as ao pescoço; escreve-as na tábua do teu coração; então *acharás graça e boa compreensão diante de Deus e dos homens*. Confia no Senhor de todo o teu coração e não te estribes no teu próprio entendimento. Reconhece-o em todos os teus caminhos, e ele endireitará as tuas veredas. Não sejas sábio aos teus próprios olhos; teme ao Senhor e aparta-te do mal (Provérbios 3.1–7, ênfase acrescentada).

O versículo 4 é resultado de lembrar e vivenciar estes princípios da piedade: "então *acharás graça e boa compreensão diante de Deus e dos homens*". Como cristãs, não devemos procurar alcançar determinado nível de sucesso só para impressionarmos as pessoas ou ganharmos muitos prêmios. Em vez disso, temos de perguntar e orar pedindo o tipo de sucesso que atraia as pessoas ao fiel amor de Deus. Essa é a missão máxima do treinador-chefe e ele define um time como bem-sucedido por sua marca registrada.

Uma boa ilustração desse princípio se encontra no livro de Gênesis. O servo de Abraão, que atuava como chefe da equipe, foi enviado em uma missão: encontrar uma esposa para Isaque, o filho de Abraão. Quando saiu em missão, ele orou: "Ó SENHOR, Deus de meu senhor Abraão, rogo-te que me acudas hoje e uses de bondade para com o meu senhor

Abraão!" (Gênesis 24.12). O servo, então, pediu ao Senhor que revelasse sua escolha mediante os atos de uma mulher hospitaleira e trabalhadora que estivesse disposta a ir além do próprio pedido de água, oferecendo água extra aos camelos sedentos. "O homem a observava, em silêncio, atentamente, para saber se teria o SENHOR levado a bom termo a sua jornada ou não" (v. 21). Quando descobriu que o Senhor o tinha enviado aos familiares de Abraão, ele se regozijou na bondade de Deus para com ele.

Não há como abordar cada assunto relevante ao trabalho em um único livro, menos ainda em um capítulo sobre gerência. Tudo que realmente precisamos saber está em Efésios 6.9. Ali, somos lembrados de que aqueles que possuem autoridade no trabalho devem tratar bem seus trabalhadores, sem ameaçá-los: "sabendo que o Senhor, tanto deles como vosso, está nos céus e que para com ele não há acepção de pessoas".

Ao nos relacionar com outros no trabalho, inevitavelmente haverá aquelas pessoas que são "complicadas" ou aquelas cujas fraquezas são mais desafiadoras para nós. Deus nos lembra de que devemos mostrar igual apreço a todos como indivíduos criados por Deus, mesmo que eles nos irritem com sua imaturidade ou diferença de personalidade.

O treinador-chefe sempre dá ordens que demonstram sua bondade. Que nós façamos o mesmo em nosso papel de treinadoras, levando nossas equipes para o tipo de sucesso que encontra favor em seus olhos!

13 {o ninho aberto

Quando meu pai, piloto na Guerra da Coreia, aposentou-se da força aérea americana, na casa dos 40 anos, passou alguns anos em transição para uma nova carreira de gerenciamento de energia. Eu estava na segunda série quando ele se aposentou — e tinha idade suficiente para saber que a maioria dos pais não ficava em casa tanto tempo quanto ele ficava e, ao mesmo tempo, era muito jovem para conhecer a terminologia correta para esse estágio da vida.

Quando minha professora perguntou o que meu pai fazia, respondi com orgulho: "Ele não tem emprego. É *retardado*". A professora, sem entender o sentido da coisa, deu-me um imenso sorriso amarelo.

mulher, cristã e bem-sucedida

Mais tarde, na faculdade, havia uma campanha no departamento de estudos femininos para celebrar os anos de vida da mulher pós-idade fértil. Elas queriam um termo que reconhecesse a liberdade e as oportunidades dessa fase da vida, como também a sabedoria que se alcança nessa etapa. Queriam um jeito de elevar mulheres sábias a seu lugar natural e honrado na sociedade. Assim, decidiram recuperar um termo do inglês da Idade Média – *crone*. CRONE?! (A palavra crone, na língua inglesa, quer dizer ovelha velha) *Como se isso um dia fosse pegar*!

Quando falamos das novas estações da vida, o sucesso diz respeito ao uso do termo certo para a situação certa. Por isso, anos atrás, rejeitei o termo "ninho vazio". Uma de minhas amigas o chamou de "ninho aberto" e eu, imediatamente, copiei a expressão. É uma descrição muito mais otimista. Na estação de ninho aberto, talvez você esteja fazendo a transição entre trabalho em tempo integral cuidando do lar e uma realocação no mercado de trabalho. Ou talvez esteja pronta para se aposentar de uma carreira em tempo integral e fazer a transição para um trabalho voluntário. Ou talvez esteja interessada em um pouco de cada coisa. De qualquer modo, você tem novas oportunidades se abrindo, e, se Deus quiser, tempo e energia para investir tudo que já aprendeu em novas aventuras e novas pessoas a discipular.

O NINHO ABERTO

Assim, neste capítulo final, Nora e eu queremos compartilhar os exemplos de diversas amigas que estão florescendo na estação do *ninho aberto*. Para nossas leitoras mais jovens, esperamos que este capítulo as inspire a pensar na segunda metade da vida, e a sonhar com tais possibilidades. (E, se você usar a palavra *crone* para descrever uma pessoa com um dia a mais de idade do que você, pode esperar um tapa pronto e imediato.)

Ainda Temos Todas as Idades

Em seu livro *A Circle of Quiet*, Madeleine L'Engle escreve sobre as vantagens da perspectiva e da memória na meia-idade:

> Ainda tenho todas as idades que já tive. Como já fui criança, eu sou sempre criança. Como já fui uma adolescente em busca de algo, dada a sentimentos e êxtases, estes ainda fazem parte de mim, e sempre farão... Há gente demais que não entende o significado de *deixar as coisas de menino*, achando que o fato de esquecer-se de como pensa, e sente, e toca, e cheira, e prova o sabor, e enxerga, e escuta uma criança de 3 anos ou de 13, ou um jovem de 23, significa ter crescido e ser adulto. Em vez disso, se eu puder reter a percepção e a alegria de uma criança, e ter cinquenta e um anos, eu realmente terei

aprendido o que significa crescer e ser adulto. Ainda tenho muito para aprender.[1]

Aos 60 anos, Linda exemplifica esse feliz paradoxo. Não acho que eu tenha conversado com ela nenhuma vez sem que eu tivesse dado risadas até chorar. Humoristas *stand-up fariam de tudo* para ter as mesmas tiradas que ela. Mas Linda é uma viúva relativamente recente, tendo perdido o marido para a Esclerose Lateral Amiotrófica (ELA) há apenas alguns anos. Após décadas morando na mesma cidade e frequentando a mesma igreja, ela decidiu mudar-se para uma cidade menor, onde pudesse ajudar a começar uma nova igreja.

"Aqui, eu sou apenas Linda", diz ela. "De onde vim, eu era a viúva do Ray. Éramos um casal que fazia tudo junto. Depois que ele morreu, eu me perguntava se um dia eu ainda poderia ser usada por Deus. O que eu faria sozinha? A gente sente que os braços foram cortados."

No entanto, quando a chamei para uma entrevista, ela pediu desculpas por estar exausta: "Cheguei em casa mais ou menos a uma da manhã. Estava ministrando um estudo bíblico em um clube de strip-tease".

Claro. É desse jeito que Linda vai vivendo. Só está há poucos meses na cidade, e já faz parte de um ministério sério para alcançar as mulheres na indústria de entretenimento adulto. "É interessante a forma como Deus mudou

---

[1] Madeleine L'Engle, *A Circle of Quiet* (New York: HarperOne, 1984), 199–200.

a minha vida", comenta ela. "Não tenho marido ou filhos em casa. Assim, tenho tempo para esse tipo de ministério e, espero, também a sabedoria que eu não tinha quando era uma mulher mais jovem".

Linda sempre tem histórias interessantes. Durante vinte anos, ela foi intérprete de linguagem de sinais para a CIA. Mas, uma vez casada com Ray, ela reduziu a carga horária no trabalho para dois ou três dias por semana, coordenando sua agenda com as demandas da empresa de reforma de imóveis de Ray. Quando eles adotaram seus três filhos, ela deixou a CIA e diminuiu para um dia por semana, como intérprete *freelancer*. Descobriu que podia trabalhar menos horas e cobrar mais, o que lhe deu mais liberdade para trabalhar em prol de suas prioridades pessoais.

"Queria dar o meu melhor ao lar e à igreja", diz ela. "Meu trabalho era um meio para ajudar minha família. Eu não estava emocionalmente envolvida nisso."

Nos últimos cinco anos da vida de Ray, à medida que sua doença ia se agravando, Linda deu-se conta de que precisava preparar-se para a vida de viúva. Assim, fez uma nova certificação em língua de sinais dos Estados Unidos (American Sign Language, ASL) e começou a trabalhar para uma grande companhia, a fim de usufruir de um bom plano de saúde. Olhando para trás, Linda queria não ter deixado sua certificação ficar tanto tempo sem validação enquanto esteve ocupada criando os filhos, porque foi muito mais difícil conseguir a recertificação: "Meu conselho às mulheres mais jovens é que mantenham atualizadas quaisquer certificações que tenham, para que possam voltar rapidamente para qualquer coisa que precisem fazer".

Para Linda, foi duro voltar ao trabalho em tempo integral quando Ray estava doente. Mas ela perseverou: "Abri toda porta que pude. Mesmo que não desse certo, às vezes levava a uma outra porta. Já vi jovens ficarem desanimadas. Temos de ter uma atitude do tipo 'eu posso'; você nunca saberá aonde isso a levará".

Quando se mudou para a nova cidade, pesquisou muito na internet e conversou com intérpretes, indagando sobre o mercado e a situação dos intérpretes de língua de sinais. Contatou todas as agências e preencheu várias resmas de papelada. Os hospitais têm grande necessidade de intérpretes e, assim, ela teve de fazer exames de tuberculose e tomar inúmeras vacinas. Para fazer interpretação em situações de medicina, precisava também contar com um seguro contra erros e omissões profissionais. Deu muito trabalho estabelecer sua empresa, mas agora ela só precisa agendar três a quatro dias por semana para se manter equilibrada.

Uma de suas tarefas favoritas é atuar como intérprete de estudantes em escolas do ensino básico. "Amo estar na escola", diz ela. "Ao fazer este trabalho, não estou tão isolada apenas em minha própria geração".

Linda aguarda, feliz, pelo futuro. Ela vai à academia para investir em sua saúde e resistência física. Serve em sua igreja local e é anfitriã em muitos eventos em sua casa, cultivando novas amizades. Está investindo em um ministério para alcançar gente de fora. Aguarda o dia em que seus três filhos adultos vão se casar e ter, eles mesmos, seus filhos – para ela, netos. Mas, no momento, ainda não está desacelerando o ritmo.

"É uma maravilhosa metade da vida", diz ela. "Sinto que tenho mais sabedoria agora e mais experiência de vida para contribuir em qualquer situação. Tenho esperança em relação ao futuro."

Avançando

Às vezes, a esperança para o futuro implica uma luta mais dura. Em seu livro *The Undistracted Widow*, Carol Cornish faz boas perguntas àquelas que chegaram à segunda metade da vida e experimentaram uma mudança inesperada: "Temos alguma coisa em que podemos avançar?". Ela continua:

> Na mudança do rumo de vida, não existe a chance de dar ré. A única escolha é seguir adiante. O bom dessa viagem pela estrada é que é Deus quem dirige. Ele conhece o caminho do nosso destino, e não tem como nos perder de vista. Às vezes sentimos que estamos sentados na beira da estrada em um veículo avariado. Parece que a vida está nos passando para trás.[2]

---

2   Carol Cornish, The Undistracted Widow (Wheaton, IL: Crossway Books 2010), 135, 137.

mulher, cristã e bem-sucedida

Para alguns de nossos amigos, a Grande Recessão acelerou essa sensação de a vida estar nos passando para trás, e a economia em declínio acabou com muitos empregos. Até mesmo anos depois, os efeitos negativos ainda são sentidos. Em recente pesquisa com trabalhadores mais velhos (nos fins da casa dos 50 e começo dos 60) que perderam seus empregos durante a Recessão, apenas um em cada seis encontrou um novo trabalho, e metade desse grupo aceitou cortes no pagamento. Catorze por cento dos que foram realocados em empregos disseram que o pagamento da nova ocupação correspondia a menos da metade do que ganhavam no trabalho anterior.[3]

No caso de Nancy, uma doença não esperada complicou esse transtorno econômico. Nancy estava no começo de seus 50 anos quando a Grande Recessão chegou e a saúde de seu marido se deteriorou. "Nunca pensei que, depois de 25 anos usando minhas prendas domésticas, eu teria de trabalhar fora porque meu marido não podia mais fazê-lo", diz ela.

Seu esposo é um homem com incrível ética de trabalho; foi chocante para sua família quando caiu em uma espiral descendente de profunda depressão e não conseguia encontrar outro emprego. Passou de executivo a podador de árvores da vizinhança. Como resultado, Nancy passou de esposa e mãe a cuidadora e mantenedora da casa.

---

[3] Catherine Rampell, "In Hard Economy for All Ages, Older Isn't Better... It's Brutal", The New York Times, 2 fev. 2013, disponível em http://www.nytimes.com/2013/02/03/business/americans-closest-to-retirement-were-hardest-hit-by-recession.html?ref=catherinerampell&pagewanted=all.

O NINHO ABERTO

Ela diz: "Antes de meu marido adoecer, ele e eu conversávamos sobre eu voltar a trabalhar. Fiquei zangada porque achei que ele não valorizava tudo que eu fazia em casa". A despeito de suas emoções conflitantes, ela começou a treinar para ser professora de ioga.

Durante a doença dele, ela diz: "Fiquei grata por meu emprego. Ele me salvou". Seu trabalho a ajudou a sair de casa e oferecia equilíbrio ao estresse de cuidar do esposo. Aos poucos, o marido de Nancy foi se recuperando e encontrou um novo emprego, mas Nancy continua a trabalhar, depois de construir sua pequena empresa como instrutora de ioga. Hoje, sua vida é diferente do que ela previa, mas ela diz que está começando a ver como Deus lhe estava dando flexibilidade para crescer novamente, mesmo nos reveses da vida.

Hoje, ela realmente gosta do jeito como seu trabalho tem proporcionado novos relacionamentos e oportunidades. Ela pode contribuir financeiramente para o sustento de diferentes causas e ministérios com a renda adicional; e também tem novas amigas com as quais compartilha o evangelho, como as de seu clube do livro.

Como Nancy, o esposo de Jane foi quem começou a conversa sobre o que fazer na estação do ninho aberto. Quando seu primeiro filho saiu para a faculdade, ele disse a Jane que queria que ela encontrasse um trabalho fora assim que terminasse de educar o filho mais novo.

"Durante muitos anos, lutei contra isso, querendo ficar em casa e ministrar a outros, talvez fazendo trabalho voluntário em nossa comunidade. Eu queria que Deus mudasse o coração do meu marido quanto a isso, mas ele mudou foi o meu coração", diz ela.

> Agora estou animada com esse novo estágio da vida. Quando tiver terminado o tempo de ensino domiciliar com o mais novo, terei 52 anos. A última vez que considerei o que eu queria ser ou fazer quando crescesse, eu tinha 22. Agora sei mais a respeito de mim mesma e mais a respeito do mundo. Compreendo muito mais sobre como fui chamada, como crente, a interagir neste mundo, e mais também sobre meus próprios dons e capacidades — e mais importante, as minhas limitações. Quando eu tinha 22 anos, não sabia que tinha algum limite! Deus despertou em mim paixões que eu nem sabia que existiam há trinta anos.

Eu vi Jane pela última vez numa "conferência para cristãos no mercado de trabalho". Ela se aproximou de mim com grande entusiasmo, dizendo que está considerando uma posição em uma organização de auxílio a mulheres e meninas no mundo inteiro. Está esperando utilizar o que aprendeu como esposa e mãe para fazer a diferença na vida de quem mais necessita nas nações em desenvolvimento.

A transição para a frente de trabalho depois dos 50 anos representa um verdadeiro desafio, mas não é algo impossível. As pesquisas sugerem que, na próxima década, essa tendência talvez seja revertida, pois uma grande quantidade de Boomers* se aposenta e os empregadores correm para preencher as fileiras mais magras com a mão de obra da Geração X. Um estudo estima que, até 2018, possa haver mais de cinco milhões de empregos não preenchidos nos Estados Unidos devido a essa mudança na população. Assim, os empregadores terão de considerar como atrair empregados de mais idade que tenham origens distintas e buscar "novas carreiras"— um trabalho remunerado que, em geral, envolve a melhora na qualidade de vida em nossas comunidades locais ou em outros lugares. Os trabalhadores também terão de obter qualificações para essas carreiras: dos quase sete milhões de empregos projetados como acréscimo aos setores sociais e de serviços até 2018, 3,5 milhões serão em cuidados com saúde e assistência social.[4]

Mas não é necessário seguir uma "segunda carreira" para ser produtiva na estação de ninho aberto — pesquisas atuais apontam que muitos trabalhadores mais velhos estão se tornando empregadores independentes em seus próprios campos. Mais de sete a cada dez empresas americanas hoje estão ocupadas com a perda de talentosos trabalhadores mais velhos, e 30% já estão contratando pessoas aposen-

---

[4] Barry Bluestone e Mark Melnik, "Help Needed: The Coming Labor Shortage and How People in Encore Careers Can Help Solve it", publicado em Kitty and Michael Dukakis Center for Urban and Regional Policy at Northeastern University, Boston and Civic Ventures, 2010, http://www.encore.org/files/research/JobsBluestonePaper3-5-10.pdf.

* Baby boomers são as pessoas nascidas no período logo após a Segunda Guerra Mundial até início dos anos 1960, quando houve uma explosão demográfica, ocorrida em maior escala nos Estados Unidos, Canadá e Austrália. (N. da T.)

tadas como consultores ou empregados em tempo parcial.⁵ A sabedoria da idade é valiosa e representa um recurso que pode ser usado no mercado.

Contudo, a estação de ninho aberto nem sempre diz respeito a trabalhar no mercado. A produtividade nessa época pode ser o reverso dos anos de atividade frenética para algo mais contemplativo e direcionado.

Desacelerando

Aos 58 anos, o currículo de Mary é simplesmente longo demais para citar. Mais recentemente, ela trabalhou em uma organização de combate à pobreza, na qual seu marido, Robert, de 62 anos, ainda trabalha. O caminho que trilharam até lá foi colorido e diversificado.

Ambos começaram como professores no Alasca, porque Robert tinha especialização em Artes. Voltaram para seu estado natal do Colorado para trabalhar em um acampamento bíblico por quatro anos. Depois foram para uma empresa de terraplenagem com membros da família estendida, a qual veio a falir rapidamente. Tiveram de tomar dinheiro emprestado para mudar para Phoenix, onde deram início a uma atividade bancária, desenvolvendo um software que acabaram vendendo a uma companhia de processamento de cartões bancários de uma corporação. Então, usaram esse

---

5   Michelle Singletary, "When Work Still Beckons", coluna "The Color of Money", *The Washington Post*, 9 jan. 2013, A11.

dinheiro para entrar no ramo imobiliário. "Mas, no decorrer de tudo isso, estávamos realizando um ministério", diz ela.

Na verdade, em vários momentos de sua vida, Mary foi diretora do ministério de mulheres de uma igreja local. Trabalhou com a *Prison Fellowship*. Trabalhou em um programa de mentoria para famílias sem-teto. Envolveu-se com os órfãos da Aids na África — e passou a integrar uma equipe que deu início a uma filial nos Estados Unidos de um ministério com base na África do Sul. Depois, começou a angariar fundos para o combate à pobreza, participando de diversos trabalhos internacionais antes de ir parar na divisão de envolvimento com a igreja de um ministério sem fins lucrativos — sua posição mais recente.

"É, estou um pouco cansada", diz ela, rindo. "Mas nós éramos bastante ingênuos quanto à vida na casa dos 20 anos e, assim, tivemos de esperar uns trinta anos antes de fazer o que estamos fazendo hoje em dia."

No meio do redemoinho de suas atividades, Mary teve um momento de revelação: era chegada a hora de desacelerar.

"Eu estava enfrentando um prazo-limite em um projeto de trabalho, e meus netos me ligavam pelo Skype e eu tentava agir tranquilamente, não demonstrando sentir-me pressionada com a interrupção", recorda ela. "Então, a cuidadora ligava com um problema sobre a minha mãe. Daí, uma de nossas propriedades que estava alugada ficava vazia e demandava a minha atenção. Tudo isso, além da tentativa de fazer o meu trabalho, era demais. O que realmente quero fazer nesse estágio da vida é ser mentora para pessoas mais jovens, e não criar meu próprio trabalho. Foi quando percebi que havia essa 'outra produtividade' em minha vida que demandava atenção. Havia coisas prestes a acontecer, coisas que eu poderia colher."

Mary sentia que tinha coisas demais a fazer, todas no mesmo patamar de prioridades. Estando os dois tão ocupados no trabalho, ela percebeu que estava minando as forças de Robert, e que precisava dar-lhe mais apoio. Assim, decidiu descer da roda de atividades.

"Acho que alguns de nós, geração Boomer, não estamos fazendo isso — não estamos nos afastando para dar lugar para outras pessoas", diz ela. "Os Boomers não sabem ser produtivos a não ser que estejam trabalhando. Tenho amigas que estão financeiramente bem de vida, mas ainda trabalham como loucas em horários pesadíssimos. Nós, Boomers, simplesmente continuamos subindo realmente às alturas."

Quando saiu do trabalho, Mary investiu algum tempo para analisar e refletir sobre seus dons, seus pontos fortes e sua experiência de vida. Identificou com seu marido dois alvos-chave para esse estágio da vida — suas entradas de renda têm de ser simplificadas e seus relacionamentos demandam maior investimento.

"Eu vejo a vida como tendo uma fase exploratória, uma produtiva, uma efetiva e uma fase de mentoria", diz ela.

"Neste momento, estou na fase de mentoria. Perguntei a mim mesmo sobre o que trata este estágio da vida. Não será parecido com os meus 40 anos, mesmo que eu ainda tenha muita energia."

Mary e Robert têm diversos bons amigos que estão considerando um modo diferente de viver no futuro. Ela não quer estar isolada na casa dos 80, vivendo sozinha, como vê acontecer entre muitos de seus parentes e amigos. Parece mais sensato, com maiores recursos, viver em comunidade. Provavelmente, isso vai requerer uma mudança. Eles possuem uma grande casa de fazenda no Colorado que vem sendo restaurada nos últimos anos. Está situada em dezessete alqueires e requer muita manutenção. "Quando neva, para sairmos da estradinha de entrada, temos de subir no trator — e, nessa fase da vida, isso não é muito adequado", diz ela, rindo muito.

Ela tem tido prazer em usar a casa para estender sua hospitalidade, mas não acha que será muito útil para o futuro sonhado. Em vez disso, eles consideram encontrar uma casa que resolva muitas de suas questões e preocupações quanto ao futuro — talvez um casarão com múltiplas suítes que acomodem outros casais interessados em uma vida comunitária, uma habitação que ofereça economia de gastos e oportunidade de cuidados pessoais, minimizando o isolamento. Por enquanto, é apenas uma ideia, mas ela está fazendo considerações cuidadosas nesse sentido.

mulher, cristã e bem-sucedida

Acho que na igreja ensinamos muito sobre o papel de jovens esposas e mães, mas pouco falamos sobre esse estágio. Talvez conversemos sobre a alegria de ser avós, mas não tudo que faz parte desse tempo de envelhecimento. O fato é que pode ser um estágio realmente difícil e decepcionante para as pessoas, com muitas desilusões. Eu diria a meus amigos: apenas deem um passo para trás, respirem fundo e olhem todas as coisas que estão acontecendo em sua vida que vocês não estão conseguindo gerenciar bem. No caso de algumas dessas mulheres, seus maridos precisam de mais apoio do que imaginam necessitar.

E acrescenta:

Então, pense no que vai ser o seu legado. Eu sempre fui defensora das mulheres — não importava se era Aids na África, ou pobreza em Bangladesh, ou mulheres sem-teto, ou presidiárias, ou simplesmente um grupo de mulheres fazendo trilha ecológica no Colorado, isso sempre fez parte da minha vida. Espero que isso continue, mas de um modo mais focado.

O NINHO ABERTO

Defensora das Mulheres

Ser defensora de mulheres e meninas quando estamos na estação do ninho aberto não é um conceito novo. Quando o cristianismo entrou em cena, não havia paralelos na valorização de mulheres nessa fase da vida, tipicamente as viúvas. "Nada no judaísmo nem no paganismo era semelhante à exaltação do cristianismo acerca da condição de viúvas", escreve a historiadora Diana Severance. "Porém, as viúvas não eram apenas cuidadas pela igreja; eram também importantes para seu funcionamento. A elas, foi dada a responsabilidade de cuidar dos doentes e dos pobres, distribuir o dinheiro das esmolas da igreja e evangelizar as mulheres pagãs."[6]

Ainda hoje, essa grande necessidade ministerial se faz presente, tanto em nossas próprias cidades como ao redor do mundo. É um momento estrategicamente importante para as mulheres estarem envolvidas em estender as mãos e ministrar a outras mulheres. Nós, que temos a mensagem de que Deus criou as mulheres à sua imagem, precisamos estar na linha de frente em lugares nos quais o simples fato de haver nascido mulher põe a vida em risco. Existem milhares de mulheres que sofrem de injustiça econômica e legal em seus países, negando-se a elas estudo, oportunidades de trabalho, tratamento de saúde e até mesmo suas vidas.

---

6 Diana Severance, *Feminine Threads*, 54.

mulher, cristã e bem-sucedida

Mulheres estão abortando seus fetos femininos em um grande número porque acreditaram na *mentira demoníaca* de suas culturas de que as mulheres não têm valor igual aos homens. Isso requer mulheres corajosas, armadas da verdade da Escritura, que se envolvam e lutem a favor daquelas que sofrem tais injustiças.

Esse é um assunto digno de um livro inteiro — e muito já foi escrito a respeito —, mas nós o oferecemos com fervorosa exortação a qualquer mulher que se sinta perdida ou inútil nos anos de ninho aberto. Vocês têm vidas *cheias* de sabedoria e muita experiência ainda para investir! Vocês têm *décadas* de testemunhos sobre a fidelidade de Deus! E existe um mundo perecendo, que precisa conhecer o que vocês já sabem; que precisa de sua ajuda, de sua mentoria e de sua mensagem.

Muitas de nós somos tentadas a achar que nossas vidas servem apenas como advertência aos outros. Eu vi uma declaração assim em um pôster sarcástico e ri. Sim, eu já consigo me identificar. Mas o que acontece comigo não é verdadeiro em relação a *Deus*. Ele não desperdiça nada, criando beleza das cinzas de nossos fracassos e fraquezas. Como disse Pedro em Atos 3.6: "Não possuo nem prata nem ouro, mas o que tenho, isso te dou: em nome de Jesus Cristo, o Nazareno, anda!". Temos coisas de muito maior valor do que prata e ouro: a fé. Quanto mais tempo andamos com o Senhor, mais temos dele para dar a outros — mais orações atendidas, mais histórias de sua provisão e mais confiança no fato de sua Palavra ser sempre verdadeira.

Os Sacrifícios por Amor

Lidar com os reveses da vida, encontrar emprego, buscar uma nova paixão requerem, ter a coragem renovada nesse estágio da vida. Pode ser realmente difícil desacelerar, se isso for o que Deus a está chamando para fazer. Não importa qual seja a sua idade, é importante avaliar onde você esteve e para onde vai. Mais importante ainda: isso cria oportunidade de considerar como o Senhor tem trabalhado em sua vida, olhando para sua fidelidade no passado. Isaías 46:9-10 diz:

> Lembrai-vos das coisas passadas da antiguidade: que eu sou Deus, e não há outro, eu sou Deus, e não há outro semelhante a mim; que desde o princípio anuncio o que há de acontecer e desde a antiguidade, as coisas que ainda não sucederam; que digo: o meu conselho permanecerá de pé, farei toda a minha vontade.

Muitos dos desafios de desenvolver uma mentalidade de "ninho aberto" envolvem avaliar alvos e papéis. Nossa meta neste livro foi dissipar o modelo "tamanho único" quanto à vida e à produtividade das mulheres. Isso inclui tirar a ideia de que essa época da vida deveria ser destinada a lazer e diversão.

mulher, cristã e bem-sucedida

Ora, não estamos dizendo que se deve continuar trabalhando tanto quanto fazíamos quando jovens. Mas estamos afirmando que devemos continuar trabalhando com algo que tenha significado e valor verdadeiros. Quando consideramos os legados que deixaremos, precisamos avaliar nosso trabalho, não somente por uma perspectiva de carreira, mas também de como temos investido em nossos papéis para a eternidade, essas obras de significado duradouro.

Embora haja a tentação de deslizar, de passar a vida na tranquilidade, temos ainda muitos anos para continuar nos firmando em Deus, em sua Palavra, na oração e comunhão. Em uma passagem profética de Isaías 32 sobre o Rei messiânico que governa seu povo transformado, há uma advertência específica às mulheres sobre a complacência. Diz: "Levantai-vos, mulheres que viveis despreocupadamente, e ouvi a minha voz; vós, filhas, que estais confiantes, inclinai os ouvidos às minhas palavras" (v. 9). No meio de um chamado geral ao arrependimento, as mulheres espiritualmente desatentas recebem uma advertência específica a respeito da complacência.

O modelo bíblico nos desafia a continuar sendo ambiciosas, mas de um modo que traga glória aos eternos propósitos de Deus. Nosso tempo e energia são recursos a serem investidos, não limitações a serem armazenadas apenas como benefício pessoal. Devem ser cultivados e dados aos outros. Talvez isso signifique que você dedique seu tempo dando mentoria a outras pessoas, como Tito 2 manda que as mulheres mais velhas façam. Ou investir em seu casamento de um modo totalmente novo. Para muitos, pode envolver dar mais tempo e esforços para amigos, vizinhos e netos.

Não há uma promessa de descanso, ainda. Mas as palavras finais dessa passagem de Isaías 32 nos dão um vislumbre das recompensas que Deus oferece ao combatermos a complacência, investindo no que é eterno enquanto ainda temos tempo e forças.

> O efeito da justiça será paz, e o fruto da justiça, repouso e segurança, para sempre. O meu povo habitará em moradas de paz, em moradas bem seguras e em lugares quietos e tranquilos, ainda que haja saraivada, caia o bosque e seja a cidade inteiramente abatida. Bem-aventurados vós, os que semeais junto a todas as águas e dais liberdade ao pé do boi e do jumento (Isaías 32.17–18)

Embora Deus não prometa uma casa de luxo para todos que se aposentarem, promete, sim, paz, segurança e descanso para aqueles que nele confiam.

Seu tempo na força de trabalho remunerada pode estar chegando ao fim, mas sua produtividade pode continuar até o último fôlego. Sua frutificação não resulta de seus esforços, mas é um dom da graça. Conforme John Piper escreve: "Saber que temos em Deus uma herança que nos satisfaz infinita e eternamente logo depois do horizonte da vida nos faz zelar pelos poucos anos que nos restam aqui para nos dedicarmos em sacrifícios de amor, e não no acúmulo de confortos".[7]

Ao agirmos assim, existe a gloriosa promessa da Escritura de frutificação sempre viva.

> O justo florescerá como a palmeira, crescerá como o cedro no Líbano. Plantados na Casa do Senhor, florescerão nos átrios do nosso Deus. Na velhice darão ainda frutos, serão cheios de seiva e de verdor, para anunciar que o SENHOR é reto. Ele é a minha rocha, e nele não há injustiça (Salmos 92.12–15).

Nossa oração de hoje e para todos os dias que ainda estão por vir é: *Senhor, aqui está um novo dia que tu me deste. As tuas misericórdias se renovam nesta manhã. Existem coisas novas a serem feitas e novas lições a serem aprendidas. Ajuda-me a utilizar este dia de modo certo enquanto anseio voltar para o lar celestial.*[8]

---

7   John Piper, *Rethinking Retirement* (Wheaton, IL: Crossway Books, 2008), 6.
8   Carol Cornish citada por Geoff Thomas em *The Undistracted Widow*, 139.

agradecimentos

Escrever é uma experiência solitária que requer semanas e até meses de solidão forçada para ser produtiva. Todos os nossos amigos e familiares que nos apoiaram em oração e animadas verificações enquanto estávamos "sumidas em ação", recebam, por favor, nosso profundo apreço. Porém, existem algumas pessoas que precisam de agradecimento pelo nome, portanto eis alguns deles que gritamos...

Ambas somos gratas pelo apoio e a paciente cordialidade de nossa editora, Jennifer Lyell. Ela é uma verdadeira colaboradora e amiga!

Devemos muito a nosso pastor, Eric Simmons, por sugerir que escrevêssemos este livro e, em seguida, pregar muitas mensagens de domingo que deram forma às nossas ideias — especialmente o conceito de descanso.

Segue um agradecimento especial à Equipe de Primeira Versão de voluntários que, graciosamente, encontrou coisas para nos encorajar, como também para corrigir ao longo da leitura das versões iniciais deste livro: Todd Twining, Nancy Lotinsky, Jim McCulley, Emily Davis, Kari Faherty, Colin Black, Mindy Hemmelman, Tony and Karalee Reinke, Nikki Lewis, Jane Wandell, Jill Nyhus, Candice Watters, Cara Habbegger, Becky Ross, Rachel Ellis, Christina Smart, Janelle Shank, Emily Jansen e David Lam.

Em primeiro lugar, eu (Nora) quero agradecer a meu marido. Meu envolvimento com este livro é tudo obra dele, como gosto de lembrar, porque foi ele quem orou para que minha ambição se igualasse à dele e me encorajou a seguir neste projeto. Espero que continuemos sempre crescendo juntos em amor (e ambição) tanto quanto nesses primeiros oito anos juntos; anseio que essa aventura continue. Carolyn e eu nos beneficiamos de seu brilho estratégico e de sua candura em nos manter juntas durante todo este projeto.

Para este livro, tenho de prestar reconhecimento às mulheres cujos nomes e linhagem compartilho. Agradeço às minhas avós, mães e irmãs; elas estão entre as mulheres mais corajosas e piedosas que conheço. Obrigada à minha mãe, Susan, e à minha sogra, Janis, por toda a sua inspiração e apoio, como também por seu legado de fé.

AGRADECIMENTOS

As demais pessoas a quem devemos gratidão por este livro são todas as mulheres cujas amizades e histórias compartilhamos. Tenho uma dívida de gratidão especial com minha amiga Becky, que me manteve sã e dando risadas ao longo de alguns dos anos e das lutas mais difíceis por que passei. Outras amigas, antigas e novas, mostraram-se recursos valiosos para este livro, e não poderíamos tê-lo feito sem a sua leitura fiel.

Por último, agradeço à minha amiga e coautora, Carolyn, por seu encorajamento quando eu era solteira, e estava triste e confusa quanto à vida. Naquela época, você me inspirou, como continua a me inspirar ainda hoje. Obrigada por ser mãe para tantas de nós no percurso de nossa jornada.

Eu (Carolyn) nunca teria conseguido terminar este projeto sem o alegre estímulo de Nora e seu trabalho diligente. Do começo ao fim, sua fé em Deus me renovou. Quando *nós duas* enfrentávamos um prazo de entrega, foi você quem preparou refeições para mim, trazia flores e me lembrava de que a graça de Deus é suficiente para a enorme tarefa que temos diante de nós. Você tem sido uma parceira generosa (e *maravilhosa!*) nessa aventura.

Minha gratidão também se estende aos colegas da Citygate Films: Suzanne Glover, Brad Allgood e Daniel Pinto. Escrever um livro a respeito do trabalho enquanto trabalhava longas horas em projetos de filmagem é *pura loucura*. Obrigada por amarrarem as pontas soltas e pegarem no

mulher, cristã e bem-sucedida

batente com tanta animação. Vocês tornam meu trabalho divertido.

Sou profundamente grata pelo apoio de minha família, especialmente de meu pai, que lia cada capítulo deste livro com sua incrível capacidade de editor-redator. (No entanto, quaisquer erros remanescentes são inteiramente meus.) Minhas irmãs, Alice e Beth, precisam saber que seus exemplos frutíferos como mães que trabalham muito têm dado forma a meu pensamento sobre o assunto por muitos anos. Amo vocês!

Finalmente, agradeço à minha mãe, pelo amor que investiu em nossa família. Sinto terrivelmente a sua falta, mãe, mas espero encontrá-la um dia no céu, quando, juntas, louvaremos o Cordeiro!

Nenhuma lista de agradecimentos seria completa sem louvarmos nosso Senhor e Salvador, Jesus Cristo, cuja graça sustentadora manteve vivas suas frágeis criaturas trabalhando dentro dos prazos estabelecidos. Oferecemos este nosso trabalho com gratidão pelo amor que temos recebido daquele que é "gracioso e misericordioso, tardio para se irar e abundante em seu firme amor".

FIEL MINISTÉRIO

O Ministério Fiel visa apoiar a igreja de Deus de fala portuguesa, fornecendo conteúdo bíblico, como literatura, conferências, cursos teológicos e recursos digitais.

Por meio do ministério Apoie um Pastor (MAP), a Fiel auxilia na capacitação de pastores e líderes com recursos, treinamento e acompanhamento que possibilitam o aprofundamento teológico e o desenvolvimento ministerial prático.

Acesse e encontre em nosso site nossas ações ministeriais, centenas de recursos gratuitos como vídeos de pregações e conferências, e-books, audiolivros e artigos.

Visite nosso website

www.ministeriofiel.com.br

e faça parte da comunidade Fiel

Esta obra foi composta em Chaparral Pro Regular 12, e impressa na Promove Artes Gráficas sobre o papel Pólen Bold 70g/m², para Editora Fiel, em Abril de 2025.